Inglés para pervertidos

Inglés para pervertidos

Venus O'Hara

Grijalbo

Primera edición: marzo, 2013

© 2013, Venus O'Hara
© 2013, Random House Mondadori, S. A.
    Travessera de Gràcia, 47-49. 08021 Barcelona
© 2013, Sebas Romero, Lourdes Ribas y Yuky Lutz, por las fotografías
© 2013, Dr. Green, por las ilustraciones

Printed in Spain – Impreso en España

ISBN: 978-84-253-5028-3
Depósito legal: B-1.055-2013

Compuesto en M. I. maqueta, S. C. P.

Impreso en Grafomovi 2004, S. L.
Montmeló (Barcelona)

GR 5 0 2 8 3

Para mis profesores

Leyenda – *Legend*

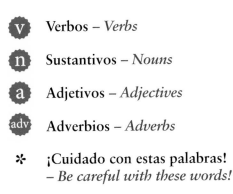

v Verbos – *Verbs*

n Sustantivos – *Nouns*

a Adjetivos – *Adjectives*

adv Adverbios – *Adverbs*

* ¡Cuidado con estas palabras!
– *Be careful with these words!*

Índice – Contents

Carta de la profesora – *Teacher's letter* 13

Lección I. El cuerpo humano – *Lesson I. The human body* 15-34

Lección II. En la cama – *Lesson II. In bed* 35-54

Lección III. LGTB – *Lesson III. LGBT* 55-70

Lección IV. Compras sexis – *Lesson IV. Sexy shopping* 71-84

Lección V. El lado oscuro – *Lesson V. The dark side* 85-102

Lección VI. El porno – *Lesson VI. Porn* 103-116

Lección VII. Perversiones online – *Lesson VII. Online perversions* 117-134

Lección VIII. Salud sexual – *Lesson VIII. Sexual health* 135-150

Soluciones – *Answers* 151-159

Resultados – *Results* 161-163

Agradecimientos – *Thanks* 165

Al terminar cada capítulo notarás cómo se eleva tu temperatura. Es el momento de poner en práctica los conocimientos recién adquiridos y evaluarte - *When you finish a chapter your temperature will rise. This is the time to experiment with your new knowledge and take note of your score.*

Carta de la profesora
Teacher's letter

Querid@ alumn@:

Me gustaría decirte que aprender un idioma es fácil, pero estaría mintiendo. Requiere tiempo, paciencia y mucha insistencia hasta que sale bien. Tienes que hacer un gran esfuerzo y aplicarte plenamente, como harías en el sexo.

Inglés para pervertidos es el único libro que une dos grandes necesidades: el inglés y el sexo. Por fin puedes aprender todas las palabras que siempre has deseado saber, precisamente las que tu profesor@ de inglés no se atrevería a enseñarte nunca.

Soy consciente de que parte del vocabulario puede sorprender a algunos alumnos sensibles o incluso ofenderles. Debe quedar claro que esta no ha sido mi intención; simplemente he querido reflejar la fraseología que se puede oír «en la calle».

Este libro no solo sirve para ligarte a un/a guiri o buscar la mejor pornografía de la red, sino que en él también encontrarás ejercicios que tendrás ganas de hacer, sobre todo los de conversación, que puedes practicar con tu pareja.

Existen muchos métodos para aprender inglés, y en ninguno de ellos se puede negar la importancia de la gramática. Sabemos que es aburrida, pero lo cierto es que resulta primordial para comunicarse con eficacia. Por ello, *Inglés para pervertidos* contiene ejercicios originales y muy atrevidos que no aparecen en ningún otro libro de inglés. Es más, una mayor comprensión de la gramática también te ayudará en otros contextos... fuera de la habitación.

El libro cuenta con ocho capítulos: «El cuerpo humano», «En la cama», «LGTB», «Compras sexis», «El lado oscuro», «El porno», «Perversiones online» y «Salud sexual», y cada uno de ellos contiene vocabulario, gramática y varios ejercicios.

Inglés para pervertidos puede situarse en un nivel intermedio, pero cualquier estudiante de inglés se beneficiará de sus lecciones.

Espero que disfrutes la clase.
Kisses, xxx

Tu profesora,

Venus O'Hara

El cuerpo humano
The human body

I

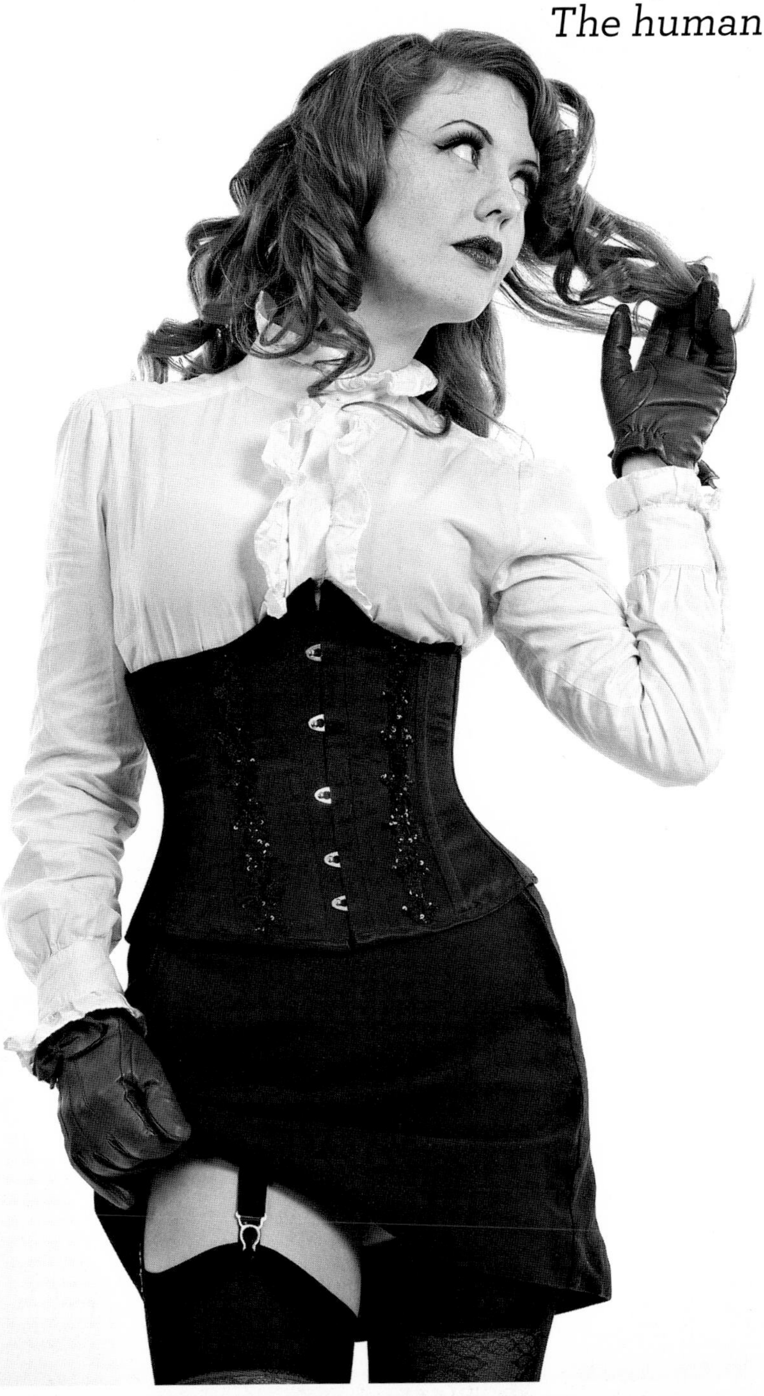

Cuando hayas aprendido el vocabulario de las partes más excitantes y placenteras del cuerpo, la verdadera diversión podrá empezar...

Once you know the English words for the most exciting and pleasurable body parts, then the fun can really begin...

LAS PARTES DEL CUERPO
BODY PARTS

n

- Ano - *Anus, arsehole*, asshole*, bumhole, cadbury canal*, glory hole*, poo-hole*, poop-chute*, shitter**
- Aréola - *Areola*
- Axila - *Armpit*
- Barba - *Beard*
- Barba de tres días - *Stubble*
- Barbilla - *Chin*
- Bigote - *Moustache*
- Boca - *Mouth*
- Brazo - *Arm*
- Cabeza - *Head*
- Cadera - *Hip*
- Cara - *Face*
- Ceja - *Eyebrow*
- Celulitis - *Cellulite, orange peel*
- Cintura - *Waist*
- Codo - *Elbow*
- Cuello - *Neck*
- Cuerpo - *Body, figure*

- Enseñar el **culo** - *To do a moonie**

- Dedo - *Finger*
- Dedos de los pies - *Toes*

- Diente/s - *Tooth/teeth*
- Encías - *Gums*
- Escote - *Cleavage*
- Espalda - *Back*
- Frente - *Forehead*
- Hombro - *Shoulder*
- Hoyuelo - *Dimple*
- Implantes - *Breast augmentation, breast implants, airbags*, bolt-ons*, boob job*, fake tits*, pumped-ups*, siliconartist*, tit job**
- Labios - *Lips, kissers**
- Labios de silicona - *Trout pout**

- Poner **morritos** - *To pout*
  Me encanta cuando pone **morritos**. Es tan sexy... - *I love it when she pouts, it's so sexy.*

- Lengua - *Tongue*
- Lóbulo de la oreja - *Ear lobe*
- Mandíbula - *Jaw*
- Mano - *Hand*
- Mejilla - *Cheek*
- Michelines - *Muffin top**

- Muela del juicio - *Wisdom tooth*
- Muñeca - *Wrist*
- Muslo - *Thigh*
- Nalgas - *Bottom, arse/ass*, backside*, behind, booty*, butt*, buttocks, derriere, peach*, rear, rump, trunk*, two-moon junction**
- Nariz - *Nose*
- Nuca - *Nape*
- Ojo - *Eye*

- Ombligo - *Belly button*, navel*
- Oreja - *Ear*
- Pantorrilla - *Calf*
- Párpado - *Eyelid*
- Pecho - *Chest, pectorals, pecs**
- Pelo - *Hair*
- Pestaña - *Eyelash*
- Pezones - *Nipples, coat hangers*, fighter pilot's thumbs*, glass cutters*, nips*, pencil rubbers*, pokies**

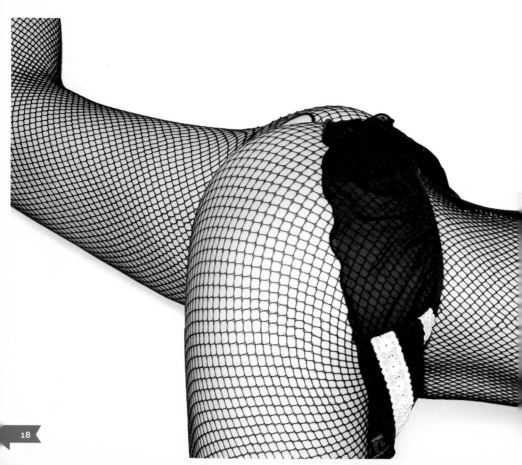

- Pie/s - *Foot/feet*
- Pierna - *Leg*
- Pulgar - *Thumb*
- Puño - *Fist*
- Rodilla - *Knee*
- Senos - *Breasts, tits*, melons*, gazongas*, knockers*, mams*, headlights*, baps*, jugs*, whoppers*, boobs*, norks*, jubblies*, dirty pillows*, hooters**

- Senos de hombre - *Boobs, man boobs*
- Talón - *Heel*
- Tobillo - *Ankle*
- Tobillos gordos - *Cankles**
- Uñas - *Nails*
- Uñas de los pies - *Toe nails*
- Vientre - *Belly, stomach, surfboard**
- Zona erógena - *Erogenous zone*

COSAS BUENAS
GOOD THINGS

· Atractivo - *Attractive, good looking*
· En forma - *In-shape*
· Firme - *Firm*
· Flexible - *Supple, flexible*
· Follable - *Shaggable*, fuckable**
· Guapa - *Pretty*
· Guapísimo - *Gorgeous*
· Guapo - *Handsome*
· Musculoso - *Muscular*
· Muy en forma - *Buff*, ripped**
· Respingón - *Pert*

· Rígido, duro (para una erección) - *Stiff (describing an erection)*
· Saludable - *Healthy*
· Sexy - *Sexy*
· Suave - *Smooth, soft*
· Tonificado - *Toned*

 **COSAS MALAS**
BAD THINGS

· Anoréxico - *Anorexic*
· Caído - *Saggy*
· Feo - *Ugly*
· Flaco - *Skinny*
· Gordo - *Fat*
· Huesudo - *Bony*
· Obeso - *Obese*

· Poco firme - *Wobbly*
· Rellenito - *Chubby, plump*
· Rígido (para músculos y espalda) - *Stiff (describing muscles and back)*
· Rugosa (piel) - *Rough (skin)*

COSAS NEUTRAS
NEUTRAL THINGS

· Delgado - *Thin*
· Depilado - *Waxed*
· Pechugona - *Busty*
· Peludo - *Hairy*
· Plano - *Flat*

· Descalz@ - *Barefoot*
Me encanta ir **descalzo** por casa - *I love going **barefoot** at home.*

· Desnud@ - *Naked*
Naked, *au naturel, as nature intended, bare-assed*, bare, birthday suit, bollock naked*, in the buff*, in the nack*, in the nuddy*, in the raw, kitless*, kit off*, nude, stark naked, starkers*, stripped, undressed, with nothing on, without a stitch*

· Estar en **forma** o estar **buen@** - *To be fit**
Tu novio está tan **bueno** que casi tengo un orgasmo cada vez que lo veo - *Your boyfriend is so **fit**, I almost have an orgasm every time I see him.*
James está en **forma**. Hace dos horas de deporte todos los días - *James is very **fit**. He spends two hours doing sport every day.*

EL CABELLO
DESCRIBING HAIR

 n

- Extensiones - *Extensions*
- Mechas - *Highlights, streaks*
- Peluca - *Wig*
- Postizo - *Weave*

a COLORES
COLOURS

- Blanco - *White*
- Canas sueltas - *Salt and pepper**
- Caoba - *Auburn*
- Castañ@ - *Brown, brunette*
- Claro - *Light*
- Gris - *Grey*
- Negro - *Black*
- Oscuro - *Dark*
- Pelirroj@ - *Red, redhead, ginger*
- Rubi@ - *Blond, blonde*
- Rubi@ rojiz@ - *Strawberry blond(e)*

a ESTILOS
STYLES

- Afro - *Afro*
- Calvo - *Bald*
- Crespo - *Frizzy*
- Hasta la barbilla - *Bobbed*
- Largo - *Long*
- Liso - *Straight*
- Ondulado - *Wavy*
- Rapado - *Shaved, shaven*
- Rizado - *Curly*
- Suave - *Soft*
- Pelo «de bote» - *Fake hair*
- Teñido - *Dyed*
- Teñido rubio - *Bleached*
- Trenzado - *Braided*

ZONAS ERÓGENAS FEMENINAS
FEMALE GENITALIA

n

- Ano - *Anus*
- Clítoris - *Clitoris, bud*, clit*, jellybean*, love button**
- Himen - *Hymen, maidenhead*
- Labios mayores - *Labia majora, coin-slot*, front bum*, meat curtains*, outers*/outer lips, plumpies**
- Labios menores - *Labia minora, inner lips*
- Punto G - *G-spot*
- Uretra - *Urethra, peehole*

- Vagina - *Vagina, bearded clam*, beaver/beeve*, box*, cooch*, cooter*, cum dumpster*, cunny*, cunt*, fuckhole*, gash*, hole*, honeypot*, poon/poontang* pussy*, sex*, slit*, slit-trench*, snatch*, twat* vagina*
- Vello púbico - *Pubic hair, beard*, bikini line, brazilian*, brillo pad*, carpet*, landing strip*, minge*, mop*, muff*, rug*, velcro**
- Vulva - *Vulva*

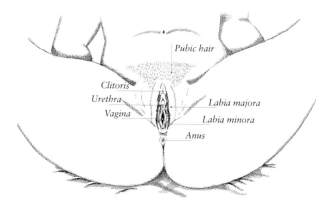

PENELIDADES: ¿ERES «CRECIENTE» O «EVIDENTE»?

Un «creciente» es aquel hombre cuyo pene muestra su verdadera longitud solo cuando está en erección. En estos casos, entre la flacidez y la erección existe una variación que oscila entre los 9 cm cuando está flácido y los 18 cm en erección. Un «evidente» es aquel hombre cuyo pene no varía en longitud (como mucho unos 3 cm) tanto cuando está flácido como en erección. Cuando está erecto, este tipo de pene se endurece y se engrosa, pero no necesariamente crece.

ZONAS ERÓGENAS MASCULINAS
MALE GENITALIA

n

- Frenillo - *Frenulum, banjo string*, ridged band**
- Glande - *Glans, bell-end*, hat*, herman*, prepuce, purple helmet**
- Pene - *Penis, beef bayonet*, chubby*, cock*, dick*, ding-a-ling*, donger*, manhood*, member, percy*, pickle*, piece of pork*, pork sword*, prong*, rod*, schlong*, todger*, wang*/ wanger*, willy**

- Perineo - *Perineum, barse*, durf* gooch*, grundle*, taint**
- Prepucio - *Foreskin, curtains,* pullover*, roll neck*, uncircumcised*
- Testículos - *Testicles, balls*, bollocks*, family jewels*, gonads, nads*, nuts*, nutsack**
- Tronco - *Shaft*

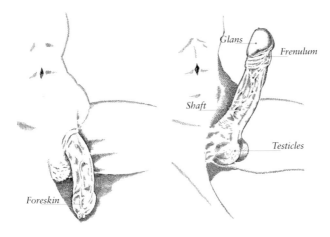

PENIS STUFF: ARE YOU A 'GROWER' OR A 'SHOWER'?

A 'grower' is a man whose true penis length is only made apparent when it is erect. There is usually a variance between 3.5 inches when flaccid and 7 inches when fully aroused. A 'shower' is a man whose erect penis is the same length or perhaps just an inch longer than when it is flaccid. It gets harder and thicker when aroused but doesn't necessarily get any longer.

CUIDADOS DEL CUERPO
TAKING CARE OF YOUR BODY

V

- Bailar - *To dance*
- Caminar - *To walk*
- Correr - *To run*
- Hacer abdominales, hacer flexiones - *to do crunches, to do sit-ups*
- Hacer deporte - *To do exercise, to work out*
- Hacer ejercicio - *To exercise*
- Hacer footing - *To jog*

- Hacer pesas - *To do weights*
- Hacer régimen - *To go on a diet*
- Ir al gimnasio - *To go to the gym*
- Ir en bici - *To cycle*
- Seguir una dieta sana - *To follow a healthy diet*

HIGIENE Y ASEO PERSONAL
PERSONAL HYGIENE AND GROOMING

V

- Apestar - *To stink*
- Bañarse - *To have a bath*
- Cortarse el pelo - *To cut (hair)*
- Cortarse las uñas - *To clip (nails)*
- Dejarse crecer - *To grow (hair, nails)*
- Depilarse con cera - *To wax*
- Depilarse las cejas - *To pluck (eyebrows)*
- Ducharse - *To have a shower*
- Exfoliarse - *To exfoliate*
- Hacerse la manicura - *To get a manicure*
- Hacerse la pedicura - *To get a pedicure*

- Hidratarse - *To moisturise*
- Lavarse - *To wash*
- Lavarse los dientes - *To brush your teeth*
- Limarse las uñas - *To file (nails)*
- Limpiar con hilo dental - *To floss*
- Limpiarse - *To cleanse*
- Oler - *To smell*
- Rasurarse - *To shave*
- Recortar - *To trim*
- Sudar - *To sweat*
- Tener mal aliento - *To have bad breath*

EN EL CUARTO DE BAÑO
IN THE BATHROOM

 CUIDADO FACIAL
FACIAL CARE

· Algodón - *Cotton wool*
· Bastoncillos - *Cotton buds*
· Crema hidratante - *Moisturiser*
· Tónico facial - *Cleanser*

CUIDADO DEL PELO
HAIR CARE

· Acondicionador - *Conditioner*
· Cepillo - *Brush*
· Cera - *Wax*
· Champú - *Shampoo*
· Espuma - *Mousse*
· Gel - *Gel*
· Laca - *Hairspray*
· Peine - *Comb*

DEPILACIÓN
HAIR REMOVAL

· Depiladora - *Epilator*
· Máquina de afeitar - *Razor*
· Pinzas - *Tweezers*
· Tijeras - *Scissors*

CUIDADO DENTAL
DENTAL CARE

· Cepillo de dientes - *Toothbrush*
· Enjuague bucal - *Mouth wash*
· Hilo o seda dental - *Dental floss*
· Pasta dentífrica - *Toothpaste*

 CUIDADO DEL CUERPO
BODY CARE

- Desodorante - *Deodorant*
- Esponja - *Sponge*
- Gel de ducha - *Shower gel*
- Jabón - *Soap*

CUIDADO DE LAS MANOS
HANDS CARE

- Cepillo de uñas - *Nail brush*
- Crema de manos - *Hand cream*
- Laca de uñas - *Nail varnish*
- Lima de uñas - *Nail file, emery board*
- Quitaesmalte - *Nail varnish remover*

MAQUILLAJE
MAKE-UP

- Base - *Foundation*
- Brillo de labios - *Lipgloss*
- Corrector - *Concealer*
- Lápiz de cejas - *Eyebrow pencil*
- Perfilador de labios - *Lipliner*
- Perfilador de ojos - *Eyeliner*
- Pestañas postizas - *False eyelashes*
- Pintalabios - *Lipstick*
- Polvos - *Powder*
- Protector de labios - *Lipbalm*
- Rímel - *Mascara*
- Sombra - *Eyeshadow*
- Uñas postizas - *False nails*

ADVERBIOS DE FRECUENCIA
ADVERBS OF FREQUENCY

Los adverbios de frecuencia se usan para expresar la periodicidad de determinada acción. Suelen anteceder al verbo, **excepto en el caso del verbo «to be»**.
We use adverbs of frequency to say how often we do things. Adverbs of frequency go before all verbs except the verb 'to be'.

· Alguna vez - *Sometimes*
· Con frecuencia - *Often*
· Habitualmente - *Usually*
· Nunca - *Never*
· Raras veces - *Rarely*
· Siempre - *Always*

EJEMPLOS CON TO BE

· *I am **always** smooth.*
· *He is **never** late for the hairdresser.*

EJEMPLOS

· *I **always** have a shower in the morning.*
· *I **usually** pluck my eyebrows every other day.*
· *I **often** shave my legs when I have my shower.*
· *I **sometimes** let my pubic hair grow.*
· *I **rarely** have a bath.*
· *I **never** use hairspray.*

¿CON QUÉ FRECUENCIA...?
HOW OFTEN DO YOU...?

· Diariamente - *Everyday*
· En días alternos - *Every other day*
· Todos los lunes - *Every Monday*
· Cada seis meses - *Every six months*
· Una vez a la semana/al mes - *Once a week/month*
· Un par de veces a la semana/al mes - *Twice a week/month*
· Tres veces a la semana/al mes - *Three times a week/month*

EJERCICIO 1

¡PRACTICA CON TU COMPAÑER@!

Formula las siguientes preguntas a tu compañer@.
Las respuestas tienen que ser amplias.

1) How often do you have a shower?

2) How often do you have a shower with your partner?

3) How often do you wear make-up?

4) How often do you wax your bikini line?

5) How often do you let your partner see you naked?

Ahora respóndelas tú.

EJERCICIO 2

Completa las frases con un adverbio de frecuencia de la siguiente lista.
¡OJO! Puede haber más de una respuesta válida.

Always · usually · often · sometimes · rarely · never

1) She _____ waxes her pussy. She loves to be hairy.

2) I _____ go on a diet. Only before my summer holidays.

3) He _____ washes himself after sex. He is obsessed with personal hygiene.

4) We _____ shower in the morning, except at the weekend.

5) I _____ let my boyfriend shave my pubic hair, when he promises to be careful.

6) My girlfriend _____ wears clothes at home, she loves to be naked.

7) He _____ gives his girlfriend a foot massage, but she says she would like more.

8) They _____ shower together. Their shower is too small for two people.

9) She _____ wears make-up. She feels naked without it.

10) He _____ waxes his legs. Only when he is training for the annual cycling race.

EJERCICIO 3

Escribe las partes del cuerpo:

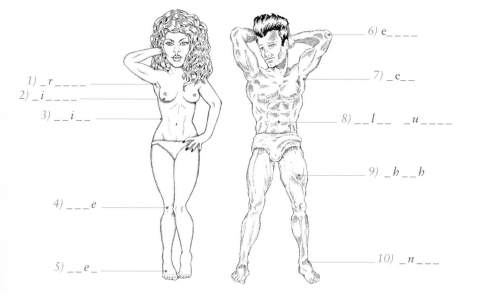

1) _ r _ _ _ _
2) _ i _ _ _ _
3) _ _ i _ _
4) _ _ _ e
5) _ _ e _

6) e _ _ _ _
7) _ e _ _
8) _ _ l _ _   _ u _ _ _ _
9) _ h _ _ h
10) _ n _ _ _

EJERCICIO 4

Subraya el adjetivo que **no** se utiliza para describir cada parte del cuerpo:

EJEMPLO

Breasts: pert · saggy · firm · <u>thin</u>

1) *Thighs: wobbly · fat · pert · hairy*
2) *Bikini line: hairy · waxed · smooth · fat*
3) *Face: pretty · fit · ugly · gorgeous*
4) *Hair: curly · wobbly · long · thin*
5) *Cock: hard · firm · soft · curly*

6) *Bum: firm · saggy · pert · erect*
7) *Nipples: hard · sensitive · soft · muscular*
8) *Lips: bony · full · wet · thin*
9) *Body: obese · fat · toned · bobbed*
10) *Skin: smooth · rough · soft · stiff*

El cuerpo humano - *The human body*
PERVERTINÓMETRO

En la cama descubriremos lo que podemos hacer con nuestro cuerpo, a solas o en compañía. Todo, desde los preliminares hasta el orgasmo.

In bed we can discover the things we can do with our bodies, either on our own or with others. Everything from foreplay to orgasms.

PRELIMINARES
FOREPLAY

V

· Abrazar - *To cuddle, to hug*
· Acariciar - *To caress, to stroke*
· Acurrucarse - *To snuggle*
· Besar - *To kiss*
· Calentar - *To tease*
· Chupar - *To suck*
· Dar un masaje - *To massage*
· Desnudarse - *To undress, to strip, to take your clothes off, to get your kit off**
· Estimular - *To stimulate*
· Frotar - *To rub*
· Hacer cosquillas - *To tickle*

· Hacer *fisting* - *To fist/fisting*
· Lamer - *To lick*
· Liarse con alguien - *To make out with someone*
· Meter el dedo - *To finger*
· Morder - *To bite*
· Oler - *To smell*
· Rascar - *To scratch*
· Saborear - *To taste*
· Soplar - *To blow*
· Tocar - *To touch*

SEXO ORAL
ORAL SEX

♀♂ · *To go down on someone*

♀ · *Cunnilingus, cunt-lapping*, to eat pussy*, to eat out, face-sitting, to lick someone out, muff-diving, pearl-diving*, rug munching**

♂ · *Fellatio, cocksucking*, deep-throat, face-fucking*, to give a blow job/bj*, to give head*, to play the skin flute*, to suck off**

♂ · *Teabagging** - Meterse los testículos de la pareja en la boca

MASTURBACIÓN
MASTURBATION

 ♀♂

· Masturbación - *Masturbation, self-pollution**

 ♀♂

· Fantasear - *To fantasise*
· Masturbarse - *To masturbate, to pleasure oneself*
· Tocarse - *To touch oneself*

Los nombres y verbos utilizados a continuación suelen utilizarse para hablar de la masturbación masculina - *The nouns and verbs below are generally used to describe male masturbation.*

v ♂

· Hacerse una paja - *To bash the bishop**, *to beat off**, *to beat one's meat**, *to choke the chicken**, *to jack off**, *to jerk off**, *to knock one off**, *to shake a soda**, *to spank the monkey**, *to toss off**, *to wank (off)**, *to whack off**

n ♀

· Paja - *A five knuckle shuffle**, *a hand job**, *a hand shandy**, *a tug job**, *a wank**, *a Tommy Tank**

· Autoamor avanzado - *Advanced self-love*
· Autofelación - *Auto-fellation*

HACIÉNDOLO
DOING IT

 LA PRIMERA VEZ
THE FIRST TIME

· Desflorar - *To deflower*
· Desvirgar - *To take a maidenhead*
· Perder la virginidad - *To lose your virginity*
· Reventar la cereza - *To pop your cherry*
· Romper a alguien - *To break someone in**

 SEXO SEGURO
SAFE SEX

· Ponerse chubasquero - *To wear a raincoat**
· Practicar sexo seguro - *To practise safe sex*
· Usar condón - *To use a condom*
· Usar protección - *To use protection*

PENETRACIÓN
SEXUAL INTERCOURSE

- Cópula - *Copulation*
- Penetración - *Penetration*
- Polvo - *A fuck*, a shag**

- Practicar sexo - *To bang*, to bonk*, to copulate, to do someone*, to fuck*, to get a piece of ass*, to get into some body's pants*, to get laid, to get some tail*, to hump*, to jump on*, to lay somebody*, to nail*, to ride*, to roll in the hay, to rub bellies, to score*, to screw*, to shag*, to sleep with someone*

POSTURAS SEXUALES
SEXUAL POSITIONS

- A cuatro patas - *Doggy style, on all fours*
- Estar encima - *To be on top, to straddle* (mujer)
- Hacer cucharita - *Spooning*
- Misionero - *Missionary, mish*
- Mujer encima - *Cowgirl*
- Mujer encima (mirando hacia los pies) - *Reverse Cowgirl*
- 69 - *Sixty-nine, soixante neuf*

SEXO ANAL
ANAL SEX

- Practicar sexo anal - *To butt fuck*, to use the back door, to use the trades man's entrance, to do it up the arse*, to bum**

TODO SOBRE EL ORGASMO
ALL ABOUT ORGASMS

 **n**

- Corrida en el cuello (literalmente «collar de perlas») - *A pearl necklace*
- Esperma - *Sperm*
- Eyaculación - *Ejaculation*
- Eyaculación femenina - *Female ejaculation, squirting*
- Líquido preseminal - *Pre-cum, Pre-come*
- Orgasmo - *The Big 'O'*
- Orgasmos múltiples - *Multiple orgasms*
- Semen - *Semen, cream*, cockspit*, jism*, milk*, nad batter*, spooge*, spunk*, testicular tang**

v

- Correrse - *To climax, to come, to cum, to get off, to have an orgasm, to spasm, to spend*
- Escupir - *To spit*
- Eyacular - *To ejaculate, to squirt**
- Fingir un orgasmo - *To fake an orgasm*
- Ser multiorgásmica - *To be multi-orgasmic*
- Tragar - *To swallow*

¿TE PONE?
DOES IT TURN YOU ON?

Verbos para describir la excitación sexual... (o su ausencia) - *Verbs to describe sexual excitement... (or the lack of it)*

♀♂ · *To be aroused, to be gagging for it*, to be horny, to be hot, to be up for it, to be turned on*

♀ · *To be wet, to be moist, to be dripping**

♂ · *To have an erection, to be stiff, to have a boner*, to have a hard on, to have a woody...*

♂ · *To be flaccid, to be soft*

SEXO AVENTURERO
ADVENTUROUS SEX

n

- Cancaneo - *Dogging*
- Club de baile erótico - *Lapdancing club*
- Club de striptease - *Strip club*
- Exhibicionismo - *Exhibitionism*
- Intercambio de pareja - *Swinging, swingers*
- Juegos de rol - *Role-play*
- Lluvia dorada - *Golden showers*
- Orgía - *Orgy, group sex*

- Sexo en aviones - *Mile-high club*
- Sexo en lugares públicos - *Outdoor sex, sex in public places*
- Tríos - *Threesome*
- Voyeurismo - *Voyeurism*

v

- Disfrazarse - *Dressing up*
- Hacer striptease - *Striptease*

SEXO DE PAGO
PAYING FOR SEX

n

- Chulo - *Pimp*
- Gigoló - *Gigolo, hustler, male prostitute, rent boy*
- Madame - *Madame*
- Prostíbulo - *Brothel, massage parlour, parlour-house, whorehouse*, knocking shop**
- Prostituta - *Prostitute, courtesan, escort, hooker*, vice girl, working girl, whore**

v

- Buscar prostitutas en la carretera - *To curb-crawl*
- Contratar una prostituta - *To hire a prostitute, to book an escort*
- Prostituirse - *To be on the game*, to belong to the oldest profession, to sell your body, to whore yourself*, to pimp yourself**

Give · have · make

· En español **se hace** una mamada, una paja, etc. - *In English* **we give** *blow jobs, hand jobs, and* **we have** *wanks, etc.*

EJEMPLOS

· *My girlfriend* **gave** *me a blow job this morning*
  NO: *My girlfriend* **made** *me a blow job this morning.*
· *Women are usually no good at* **giving** *hand jobs.*
· *I* **had** *a wank in the shower last night.*

¿QUÉ TE GUSTA EN LA CAMA?
WHAT DO YOU LIKE IN BED?

V

Verbos que puedes usar para hablar de tus gustos sexuales con tu pareja:

Enjoy · like · love · hate + verb -ing

EJEMPLOS

· *Do you **enjoy** giving blow jobs? - Sometimes.*
· *Does he **like** going down on her? - Yes, he **loves** it. He can't stop.*
· *Did you **love** hairy pussies in the 70s? - Yes, I **loved** them.*
· *Is it true that you **hate** anal sex? - Yes, I suppose my ex-boyfriend told you that.*

Adore · can't stand

EJEMPLOS

· *I **adore** smooth pussies.*
· *I **can't stand** threesomes. I want my boyfriend all to myself.*

Para proponerle a alguien que haga algo, puedes usar los siguientes verbos:

Feel like · fancy + verb -ing

EJEMPLOS

· Do you **feel like** sitting on my face tonight? Yes, I'd love to.
· Do you **fancy trying** a threesome? No, I don't. I think I would be jealous.

También puedes usar las siguientes expresiones:

How about doing something? vs Would you like to do something?

EJEMPLOS

· **How about** eating me out for a change? No thanks, I don't want to.
· **How about** having a threesome? Ok, but let's try with another man.
· **Would you like to** try a new position tonight? Yes, I'd love to go on top for a change.
· **Would you like to** have a fuck? I don't feel like it tonight. Sorry.

EL PRESENTE
TALKING ABOUT THE PRESENT

PRESENT SIMPLE	PRESENT CONTINUOUS
SUBJECT + VERB	SUBJECT + BE + VERB -ing

HÁBITOS - HABITS

· *James **masturbates** every morning.*

ACCIONES O HECHOS PERMANENTES - PERMANENT ACTIONS OR FACTS

· *Charles **lives** with his wife.*
· *Tilly **has** two secret lovers.*

ACCIONES EN PRESENTE QUE OCURREN UNA DESPUÉS DE LA OTRA - PRESENT ACTIONS HAPPENING ONE AFTER ANOTHER

· *First Tom **stimulates** his girlfriend's clitoris, then they **have** sex.*

SIGNOS/EXPRESIONES - SIGNAL WORDS/EXPRESSIONS

· *always*	· *often*
· *every ...*	· *seldom*
· *first*	· *sometimes*
· *never*	· *then*
· *normally*	· *usually*

AHORA MISMO - RIGHT NOW

· *Look! They **are shagging** now.*

DISTINTAS ACCIONES QUE OCURREN AL MISMO TIEMPO - SEVERAL ACTIONS HAPPENING AT THE SAME TIME

· *Clive **is wanking** and his girlfriend **is watching** him on the webcam.*

SIGNOS/EXPRESIONES - SIGNAL WORDS/EXPRESSIONS

· *at the moment*
· *at this moment*
· *Listen!*
· *Look!*
· *now*
· *right now*
· *today*

PRESENT SIMPLE

SUBJECT + VERB

PLANES - SCHEDULES OR ARRANGEMENTS

· Acción planificada - *Action set by a timetable or schedule*
· *The orgy starts at 8 pm.*

¿RUTINA O SOLO POR UN TIEMPO LIMITADO? - *ROUTINE OR JUST FOR A LIMITED PERIOD OF TIME?*

· Rutina - *Daily routine*
· *Billie works in a Strip Club.*

Nota: Los siguientes verbos suelen utilizarse únicamente con el **presente simple** - *Note: The following verbs are usually only used in **Present Simple***

be, have, hear, know, like, love, see, smell, think, want

PRESENT CONTINUOUS

SUBJECT + BE + VERB -ing

PLANES - SCHEDULES OR ARRANGEMENTS

· Acción del futuro próximo
- *Arrangement for the near future*
· *I am going to a swinger's club tonight.*

¿RUTINA O SOLO POR UN TIEMPO LIMITADO? - *ROUTINE OR JUST FOR A LIMITED PERIOD OF TIME?*

· Solo por un período de tiempo limitado (no necesariamente en el momento en que se habla) - *Only for a limited period of time (not necessarily at the moment of speaking)*
· *Jane is working in a Strip Club this week while Billie is on holiday.*

EL PASADO
TALKING ABOUT THE PAST

PRESENT PERFECT SIMPLE	PAST SIMPLE
HAVE + PAST PARTICIPLE	VERB IN PAST

PRESENT PERFECT SIMPLE

ACCIONES NO TERMINADAS QUE EMPEZARON EN EL PASADO Y CONTINÚAN EN EL PRESENTE

· *I've fucked* Vanessa *for a year.*
(Y sigo haciéndolo.)

UNA ACCIÓN TERMINADA CON RESULTADOS EN EL PRESENTE

· *My wife has broken her vibrator.*
(Lo rompió hace poco y sigue roto.)

CON UNA EXPRESIÓN TEMPORAL QUE INDICA QUE LA ACCIÓN NO HA TERMINADO (ESTA SEMANA, ESTE MES, HOY)

· *I've had two blow jobs this week.*

PAST SIMPLE

ACCIONES QUE EMPEZARON Y TERMINARON EN EL PASADO

· *I fucked Vanessa for a year, but then she moved away.*

UNA ACCIÓN TERMINADA SIN RESULTADOS EN EL PRESENTE

· *My wife broke her vibrator.*
(No sabemos si lo ha arreglado o lo ha cambiado por otro.)

CON UNA EXPRESIÓN TEMPORAL QUE INDICA QUE LA ACCIÓN HA TERMINADO (LA SEMANA PASADA, EL MES PASADO, AYER, EN 1999, ETC.)

· *I had twelve blow jobs last week.*

EL PASADO INMEDIATO
THE VERY RECENT PAST

HAVE + JUST + PAST PARTICIPLE

· *I've just had the most amazing orgasm ever!*

EJERCICIO 1

Formula las siguientes preguntas a tu compañer@.
Las respuestas tienen que ser amplias.

1) *What do you like in bed?*

2) *Do you enjoy foreplay?*

3) *What is your favourite sexual position?*

4) *What is the best way to make you come?*

5) *Have you ever faked an orgasm?*

Ahora respóndelas tú.

EJERCICIO 2

Completa las frases con la forma verbal correcta: *¿present simple* o *present continuous?*

EJEMPLO

He *is caressing (to caress) her breasts at the moment.*

1) *Usually my boyfriend _____ (to stimulate) my clitoris before sex.*

2) *Oh, my God, don't stop, I _____ (to come).*

3) *I think it's sad that more and more women _____ (to get) breast implants.*

4) *When I_____ (to go down on) my girlfriend, she doesn't want me to stop.*

5) *Oh, look! The actress in the porn movie _____ (to suck) the actor's cock!*

6) *She often _____ (to finger) herself when she is alone.*

7) *He usually _____ (to wank) every morning before getting out of bed.*

8) Johnny never _____ (to caress) his girlfriend's pussy because he's too selfish.

9) Sally only _____ (to give head) when she is really in love.

10) Right now, Susie _____ (to stimulate) her clitoris and Steve _____ (to jerk off) while he _____ (to watch) her.

EJERCICIO 3

Completa las frases con la forma verbal correcta: ¿*present perfect* o *past simple*?

EJEMPLO

We tried (to try) reverse cowgirl on her parent's sofa yesterday.

1) I _____ (to go) to a swinger's club last month.

2) I _____ (to shag) Julie for three years. We meet once a month.

3) She _____ (to try) fisting but she didn't like it.

4) Sorry, I _____ (to come) three times already today I'm not horny any more.

5) I'm sorry, John isn't here now. He _____ (just/to go) to the toilet to sort out his big boner.

6) I _____ (to fuck) my boss last year at the Company Christmas Dinner.

7) I _____ (to stimulate) my clitoris three times already this morning. I just can't stop.

8) I _____ (to swallow) three loads of jism today.

9) I _____ (to swallow) ten loads at the orgy last week.

10) When I _____ (to undress) last night, his cock got very hard.

En la cama - *In bed*
PERVERTINÓMETRO

Todo lo que necesitas saber sobre lesbianas, gays, transexuales y bisexuales.

Everything you need to understand about lesbian, gay, bisexual and transexuals.

ORIENTACIÓN SEXUAL
SEXUAL ORIENTATION

ⓝ

· Asexual - *Asexual*
· Bicurioso - *Bicurious*
· Bisexual - *Bisexual*
· Gay - *Gay*
· Heteroflexible - *Heteroflexible*
· Heterosexual - *Heterosexual, straight*

· Homosexual - *Homosexual*
· Lesbiana - *Lesbian*
· Pansexual - *Pansexual*
· Transexual - *Transexual*
· Transgénero - *Transgender*

HABLEMOS DE LGTB
GENERAL LGBT STUFF

ⓝ

· Bandera arcoíris - *Rainbow flag*
· El radar de los gays - *Gaydar*
· Homofobia - *Homophobia*
· Persona que hace de gay por dinero
  - *Gay for pay*
· Persona que no quiere salir del armario
  - *Closet case* *

ⓥ

· Estar en el armario - *To be in the closet*
· Estar fuera del armario - *To be out*
· Salir del armario - *To come out*

CUANDO ANUNCIAN QUE ERES GAY
TO BE OUTED

· A James no le gustó que sus amigos anunciaran que era gay, pues quería salir del armario a su debido tiempo.
· *James wasn't happy when his friends **outed** him because he wanted to come out in his own time.*

LESBIANAS
LESBIAN

a n TIPOS DE LESBIANAS
TYPES OF LESBIAN

- Femenina - *Femme, lipstick lesbian*
- Las que se van a vivir con su pareja enseguida - *U-Hauls**
- Lesbiana - *Dyke**
- Lesbiana joven - *Baby dyke**
- Lesbiana que nunca ha estado con un hombre - *Gold Star lesbian*
- Masculina - *Butch*

- Masculina y joven - *Baby butch*
- Mujer que era lesbiana en el pasado - *Hasbian*
- Muy masculina - *Diesel dyke**
- Sáfico - *Sapphic*
- Una mujer que es lesbiana solo hasta la graduación - *LUG (Lesbian Until Graduation)*

SEXO LÉSBICO
LESBIAN SEX

n

- Cunnilingus - *Cunnilingus*
- Estimulación clitoriana - *Clitoral stimulation*
- Roce - *Body to body rubbing*
- Sexo con un arnés - *Strap-on sex*
- Tijera - *Scissoring**
- Tribadismo - *Tribadism, tribbing*

v

- Frotar - *To rub*
- Hacer la tijera - *To scissor**
- Introducir el dedo - *To finger*
- Lamer - *To lick*

SEXO GAY
GAY SEX

- Beso negro - *Analingus, rimming*
- Sexo anal - *Anal sex, buggery, bumming*, sodomy*
- Sexo en baños públicos - *Cottaging*, cruising**

GAY
GAY

TIPOS DE GAY
TYPES OF GAY MALE

- Activo - *Active*
- Drag Queen - *Drag Queen*
- Hombre gay que nunca ha estado con una mujer - *Gold Star**
- Muy en forma - *Gym bunny*/ Muscle Mary**
- Osito - *Cub**
- Oso - *Bear**
- Pasivo - *Passive*
- Versátil - *Versatile*
- Virgen anal - *Cherry Boy**

V

- Chupar el semen del ano después del sexo anal - *Felching**
- Dar un beso negro - *To ass blow*, to ream, to rim*
- Introducir la cabeza del pene en el prepucio de otro - *Docking**
- Practicar sexo anal - *To bum**
- Practicar sexo con un virgen - *To cop a cherry**
- Practicar sexo sin protección - *To bareback*
- Varios hombres penetrándose en cadena - *To chain fuck**

 BISEXUAL
BISEXUAL

- Bisexual - *AC/DC, ambisextrous, bi, bicurious, bicycle, versatile, to swing both ways*

EL CÓDIGO DEL PAÑUELO
HANKY CODE

COLOR	SIGNIFICADO	COLOUR	MEANING
Amarillo	Lluvia dorada	*Yellow*	*Water sports*
Azul claro	Sexo oral	*Light blue*	*Oral sex*
Azul marino	Sexo anal	*Dark blue*	*Anal sex*
Gris	Bondage	*Grey*	*Bondage*
Marrón	*Scat*	*Brown*	*Scat*
Naranja	Lo que sea, donde sea, cuando sea (pero no necesariamente con quien sea)	*Orange*	*Anything, anywhere, any time (but not necessarily anyone)*
Negro	Sado	*Black*	*S&M*
Púrpura	Fetichistas de piercing	*Purple*	*Into piercing*
Rojo	*Fisting*	*Red*	*Fisting*
Verde	Prostitución	*Green*	*Hustler/ Prostitution*

TRANSEXUAL
TRANS

n

· De hembra a varón - *FTM/F2M, female to male, trans man*
· De varón a hembra - *MTF/M2F, male to female, trans woman*
· Persona a quien le gusta vestir con ropa del género opuesto - *Crossdresser*
· Persona con pechos y pene - *Chick with a dick**
· Transexual - *Transexual, gender bender*, trannie**
· Transexual de varón a hembra - *Shemale**
· Transexual que no se ha operado - *Pre-op*
· Transexual que se ha operado - *Post-op*
· Transformista - *Transformist*
· Transgénero - *Transgender*
· Travesti - *Transvestite*

LA VOZ PASIVA
PASSIVE VOICE

Subject + auxiliary verb (be) + main verb (past participle)

¡Importante! El verbo principal siempre va en participio pasado.

¿CUÁNDO USAR LA VOZ ACTIVA O LA PASIVA?
ACTIVE OR PASSIVE?

Utilizamos la voz activa para describir la acción del sujeto:

· *We **use** the active form to describe what the subject **does**.*

Utilizamos la voz pasiva para describir lo que ocurre a las personas y a las cosas, cuando la acción recae sobre ellas:

· *The drag queen's dress **was designed** by Jenny.*

Utilizamos la voz pasiva cuando no sabemos quién realiza la acción:

· *The flyers for the Transexual beauty pageant **were printed** in China.*

Utilizamos la voz pasiva cuando lo que se ha hecho es más importante que quién lo hizo:

· *Same-sex marriage **has been legalised** in many countries.*

TENSE	ACTIVE	PASSIVE
Present Simple	*They celebrate Pride in many big cities around the world.*	*Pride is celebrated in many big cities around the world.*
Present Continuous	*Madonna is playing at the Gay Club.*	*Madonna is being played at the Gay Club.*
Past Simple	*Ilene Chaiken created 'The L Word'.*	*'The L Word' was created by Ilene Chaiken.*
Past Continuous	*They were testing the strap-on when I arrived.*	*The strap-on was being tested when I arrived.*
Present Perfect	*They have opened a lot of gay hotels in the last few years.*	*A lot of gay hotels have been opened in the last few years.*
Future with 'going to'	*They are going to create a new gay app for the iPhone.*	*A new gay app is going to be created for the iPhone.*
Future Simple	*I will finish my equality thesis tomorrow.*	*My equality thesis will be finished tomorrow.*

EJERCICIO 1

¡PRACTICA CON TU COMPAÑER@!

Formula las siguientes preguntas a tu compañer@.
Las respuestas tienen que ser amplias.

1) Have you ever kissed someone of the same sex?

2) Have you ever had sex with someone of the same sex?

3) Have you ever had sex with a transexual?

4) Have you ever watched gay porn?

5) Have you ever tried strap-on sex?

Ahora respóndelas tú.

EJERCICIO 2

Pon las siguientes oraciones en voz pasiva:

EJEMPLO

Katy is going to choose the drag queen outfits.
The drag queen outfits <u>are going to be chosen</u> by Katy.

1) *They make condoms for anal sex in that factory.*
   Condoms for anal sex _____ in that factory.

2) *Denmark legalised homosexuality in 1933.*
   Homosexuality_____ in Denmark in 1933.

3) *They will open a new gay sauna next week.*
   A new gay sauna _____ next week.

4) *They are organising a lesbian party this weekend.*
   A lesbian party_____ this weekend.

5) *They will discuss same-sex marriage at the LGBT rights conference.*
   Same-sex marriage _____ at the LGBT rights conference.

6) *They have finished the new strap-on design.*
   The new strap-on design _____ .

7) *I will finish my gay movie script tomorrow.*
   My gay movie script _____ tomorrow.

8) *Destiny is rehearsing his new drag routine for the first time.*
   The drag routine _____ for the first time by Destiny.

9) *The publishers have scheduled the re-designed Gay Sex Guide for next month.*
   The re-designed Gay Sex Guide _____ by the publishers for next month.

10) *They served dinner at 3 pm at my son's gay wedding.*
    Dinner _____ at 3 pm at my son's gay wedding.

EJERCICIO 3

PASAR DE VOZ PASIVA A VOZ ACTIVA

Pon las siguientes oraciones en voz activa:

EJEMPLO

The explicit text messages were read by Peter's boyfriend.
Peter's boyfriend <u>read</u> the explicit text messages.

1) *The president of the Equality board was elected by the general public.*
   The general public _____ (to elect) the president of the equality board.

2) *Johnny was rimmed by a handsome model.*
   A handsome model _____ (to rim) Johnny.

3) *The computer is used by Patrick to browse gay contact pages.*
   Patrick _____ (to use) the computer to browse gay contact pages.

4) *Wigs are usually worn by drag queens.*
   Drag queens usually _____ (to wear) wigs.

5) *Strap-ons are sold by Maria.*
   Maria _____ (to sell) strap-ons.

6) *The Lesbian Sex Guide was written by a woman.*
   A woman _____ (to write) The Lesbian Sex Guide.

7) *The actor in the gay porn movie was chosen by a well-known director.*
   A well-known director _____ (to choose) the actor in the gay porn movie.

8) *Anal sex is practised by many homosexual men.*
   Many homosexual men _____ (to practise) anal sex.

9) *Harnesses and dildos are made in a variety of styles.*
   They _____ (to make) harnesses and dildos in a variety of styles.

10) *A new gay hotel will be opened next week.*
    They _____ (to open) a new gay hotel next week.

EJERCICIO 4

¿ACTIVA O PASIVA?

Escoge la voz activa o la voz pasiva de los verbos que encontrarás entre paréntesis. No olvides utilizar el tiempo verbal correcto.

1) *That harness* _____ *(to use) yesterday.*

2) *A butt plug* _____ *(to design) to be inserted in the anus for sexual pleasure.*

3) *Oh no! The drag queen's expensive jewellery* _____ *(to steal)! Call the police!*

4) *I hope that gay marriage* _____ *(to legalise) in the future.*

5) *Strap-ons* _____ *(usually/to use) by lesbian and bisexual women.*

6) *Kylie Minogue* _____ *(to perform) at the Gay festival right now!*

7) *I* _____ *(to learn) how to give a good blow job at a gay orgy.*

8) *I* _____ *(to teach) everything I needed to know about tribbing by my first girlfriend.*

9) *'Diva' magazine* _____ *(to read) by thousands of lesbian and bisexual women.*

10) *Gay porn websites* _____ *(to visit) by many heterosexual or bicurious people every day.*

LGTB - *LGBT*
PERVERTINÓMETRO

Comprar juguetes para adultos y accesorios está a la orden del día, así que si quieres conocer todo lo que puedes encontrar en un sex shop y/o comprar online, este capítulo te será muy útil.

It's no longer an embarrassment or scandal if you want to buy adult toys and accessories. If you want a better idea of what's available in sex shops and online, this will help.

ROPA INTERIOR
UNDERWEAR

 MUJERES
WOMEN

- Body - *Body*
- Bodystocking - *Bodystocking*
- Bragas - *Panties, knickers*
- Bragas con apertura - *Crotchless panties*
- Bragas de talle alto - *High-waisted panties*
- Calcetines - *Socks*
- Corpiño - *Bustier, basque*

- Corsé - *Corset*
- Lencería - *Lingerie*
- Liguero - *Suspender belt/garter*
- Medias - *Stockings*
- Panty - *Tights*
- Sujetador - *Bra*
- Tanga - *Thong/G-string*
- Tanga brasileño - *Brazilians*

- *Cameltoe**
La forma de los labios mayores de la vulva de la mujer bajo la ropa muy ceñida recuerda a la pezuña de un camello *(camel toe)* - A *cameltoe* appears when the front part of a woman's tight-fitting underwear, her swimwear or clothing 'wedges' in between her labia and demonstrates its outline which can resemble a literal camel's toe.*

- *Have you seen Sara's **cameltoe**? I'm getting so horny just thinking about it!*

HOMBRES
MEN

· Bóxer - *Boxer shorts, boxers*
· Slip - *Briefs*

---

a **PARA IR DE COMPRAS SEXIS**
FOR SEXY SHOPPING

· Atrevido - *Revealing*
· Barato - *Cheap*
· Caro - *Expensive*
· Ceñido - *Tight*
· Cutre - *Tacky*
· Escandaloso - *Scandalous*
· Espantoso - *Nasty*
· Grande - *Big*
· Halagador - *Flattering*
· Horrible - *Awful*

· Pequeño - *Small*
· Poco favorecedor - *Unflattering*
· Provocador - *Provocative*
· Realista - *Realistic*
· Ruidoso - *Noisy*
· Sexy - *Sexy*
· Silencioso - *Silent*
· Suelto - *Loose*
· Transparente - *transparent/sheer*

DISFRACES SEXIS
SEXY COSTUMES

n

- Boa - *Feather boa*
- Botas - *Boots*
- Colegiala - *Schoolgirl*
- Conejo - *Bunny girl*
- Criada - *French Maid's outfit*
- Cura - *Priest*
- Enfermera - *Nurse*
- Guantes - *Gloves*
- Hábito de monja - *Nun's habit*

- Marinero - *Sailor*
- Máscara - *Mask*
- Mitones - *Gauntlets*
- Monje - *Monk*
- Mono - *Catsuit*
- Peluca - *Wig*
- Pezoneras - *Nipple tassles/pasties*
- Policía - *Policeman/Policewoman*
- Tacones - *High heels*

JUGUETES SEXUALES
SEX TOYS

n

- Alargador de pene - *Extender, PPA (Prosthetic Penis Attachment)*
- Anillo de pene - *Cock ring*
- Arnés - *Strap on, harness*
- Bolas chinas - *Ben-Wa balls, vibro balls*
- Bombo - *Penis pump*
- Consolador - *Dildo*
- Consolador para dos personas - *Double dildo, double dong*
- Masturbador - *Masturbator, penis sleeve*

- Muñeca hinchable - *Blow-up doll, love doll*
- Pinzas - *Nipple clamps*
- Rosario anal/vaginal - *Anal/vaginal beads*
- Tapón anal - *Anal/butt plug*
- Vibrador - *Vibrator*
- Vibrador conejo - *Rabbit*
- Vibrador pequeño - *Bullet vibrator*

MATERIALES DE LOS JUGUETES SEXUALES
SEX TOY MATERIALS

· Cristal - *Glass*
· Gelatina - *Jelly*
· Látex - *Latex*
· Piel sintética - *Cyberskin*
· Plástico - *Plastic*
· Silicona - *Silicone*

EXTRA
EXTRA

· Condones - *Condoms*
· Condones de sabores - *Flavoured condoms*
· Lubricante - *Lubricant, lube*
· Pilas - *Batteries*
· Pilas recargables - *Rechargeable batteries*

OFERTAS Y SUGERENCIAS
OFFERS AND SUGGESTIONS

Let's + infinitive
¡Importante! A veces, «*Shall we*» se añade al final.

EJEMPLOS

· *Let's try a new sex toy, **shall we**? - Yes, I'd love to.*
· *Let's try the double-dong dildo together, **shall we**? - **Let's** not.*
· *Let's go to the sex shop and buy a new dildo, **shall we**? - Ok, **let's** go!*

Shall I/we + infinitive

EJEMPLOS

· ***Shall we** ask about harnesses this afternoon? - No, I think I know enough about them already.*
· ***Shall we** compare different styles of nipple clamps? - Oh yes, please!*
· ***Shall we** try some flavoured condoms for a change? - No. I prefer normal ones.*

Para hacer una sugerencia o dar un consejo, puedes utilizar las siguientes palabras y expresiones:
Debería · ¿Por qué no? · Si yo fuese tú... - *Should* · *Why don't you...?* · *Ought to* · *If i were you, I'd...*
¡Importante! Todas estas expresiones deben ir seguidas de un verbo sin el *to*.

EJEMPLOS

· *You **should** always clean your sex toys thoroughly after use.*
· *You **shouldn't** over-use penis pumps.*
· ***Why don't you** try this crotchless bodystocking?*
· *You **ought to** lubricate yourself before using anal beads.*
· *If **I were you**, I'd start with an ordinary catsuit before trying a latex one.*

Suggest · recommend + verb -ing

EJEMPLO

· **I suggest using** a glass sex toy to tease your boyfriend before you have sex.

Suggest · recommend + that + verb (sin *to*)

EJEMPLO

· **I suggest that you use** a glass sex toy to tease your boyfriend before sex.

Suggest · recommend + noun

EJEMPLO

· **I recommend cyberskin** over any other material for sensitivity.

To advise · advice
«*Advice*» es un nombre incontable.

EJEMPLOS

· I **advise** you to try a small bullet vibrator first.
· Let me give you **some advice**: always use condoms!
· She gave me a useful **piece of advice**: to buy the best cock-ring I could afford.

What/how about + gerund/noun

EJEMPLOS

· **How about** we start looking for a reliable sex doll?
· **How about** shopping online for a scandalous nun's outfit?
· **What about** this vibrator?
· **What about** something cheaper?

COMPARACIONES
MAKING COMPARISONS

Aquí tienes algunas normas que te ayudarán a construir comparaciones en inglés:

· Si el adjetivo tiene una sola sílaba, añadiremos -er (*small* › *smaller,* *big* › *bigger, nice* › *nicer*).

· Si el adjetivo tiene dos sílabas pero termina en -y, quitamos la -y y añadimos -ier (*tacky* › *tackier, sexy* › *sexier*).

· Con adjetivos de dos o más sílabas, no podemos cambiar la terminación. Debemos usar: *more + adjective* (*flattering* › *more flattering, scandalous* › *more scandalous, etc.*).

· Cuando hacemos una comparación, utilizamos *than* (*PVC is cheaper than latex; Glass toys are more expensive than silicone ones*).

· Cuando queremos decir que algo es parecido, debemos usar *as ... as* (*PVC is as shiny as latex; Those panties are as tight as the ones you wore yesterday*).

· Cuando queremos decir que una cosa es menos que otra, utilizamos *less than* o *not as... as* (*This rabbit vibrator is less noisy than I thought; This dildo is not as big as I thought*).

¡Importante! Recuerda que algunos adjetivos son irregulares y cambian cuando hacemos comparaciones: *good* › *better; bad* › *worse; far* › *further.*

EXPRESIONES CALIFICATIVAS
QUALIFYING EXPRESSIONS

Se puede modificar la fuerza de la comparación utilizando expresiones calificativas:

A lot · much · a bit · slightly · far (antes de *more*) *· less than*

EJEMPLOS

· *She's **a lot more** provocative when she's wearing lingerie.*
· *This vibrator is **much noisier than** my last one.*
· *This bra is **far more** transparent **than** advertised.*
· *It's **a bit bigger than** I was expecting.*
· *He is **far more** interested in his love dolls **than** in real women.*

EJERCICIO 1

Utilizando la expresión - *Have you ever...?* formula las siguientes preguntas a tu compañer@. Las respuestas tienen que ser amplias.

1) How many sex toys do you have?

2) Do you prefer thongs or panties?

3) Is there anything new that you would like to try?

4) What is your favourite sex toy?

5) Do you use sex toys when you are alone, when you are with your partner or both?

Ahora respóndelas tú.

EJERCICIO 2

Une las siguientes respuestas con la pregunta adecuada:

1) *Shall we try on our bodystockings and show each other?*

2) *Shall we go somewhere else and see if they've got some brazilians as well?*

3) *Shall we stock up on condoms and lube?*

4) *Shall we ask Vanessa to test the vibrators for us this time?*

5) *What shall we do about batteries?*

6) *When shall we have the next sex-toy party?*

7) *Shall we wear stockings tonight?*

8) *When shall we try the butt plug?*

9) *Shall we go online to find a love doll?*

10) *Shall we try the double dong tonight?*

a) *I guess so, I didn't realise how many we had used.*

b) *I think we should get rechargeable ones for the clitoral stimulator.*

c) *No way! I much prefer real women.*

d) *Next month. That'll give us enough time to organise it.*

e) *Oh yes, what a good idea! She's always up for it.*

f) *Not yet, I need to practise using the anal beads first.*

g) *I've got plenty of them. What I need is a pair of crotchless panties.*

h) *I can't, I don't have any.*

i) *Of course, I think my boyfriend would love to watch us.*

j) *Great idea, mine's crotchless and I'm horny.*

EJERCICIO 3

COMPARACIONES

Escribe de nuevo las siguientes oraciones:

EJEMPLOS

*This basque is (**expensive**) the corset.*
*This basque is **more expensive than** the corset.*

1) *These condoms are (**cheap**) the ones you bought.*

2) *This rabbit vibe is (**noisy**) I was expecting.*

3) *These nipple tassles are (**tacky**) they looked on the box.*

4) *The latex leggings are (**much/tight**) I remembered.*

5) *My schoolgirl outfit is (**not/scandalous**) yours.*

6) *My sheer panties are (**sexy**) your sister's.*

7) *These crotchless panties are (**not/revealing**) I'd hoped.*

8) *The lingerie in the last shop was (**provocative**) this shop.*

9) *The black bra is (**flattering**) the pink one.*

10) *My friend's dildo is (**realistic**) mine.*

Compras sexis - *Sexy shopping*
PERVERTINÓMETRO

En este capítulo descubrirás los secretos del lenguaje BDSM y otros términos fetiche que siempre has querido conocer.

Here you'll discover the meaning of BDSM language and all the other fetish terms that you've been interested in for longer than you can remember.

ESTILO DE VIDA BDSM
BDSM LIFE STYLE

n

- Bondage, BDSM - *Bondage, discipline/ domination, submission/sadism & masochism BDSM*
- Consentimiento - *Consent*
- Contrato de sumisión - *Slave/ submission contract*
- Disciplina - *Discipline*
- Dominación - *Domination*
- Dominación femenina - *Femdom, female domination*
- Dominación masculina - *Maledom, male domination*
- Escena BDSM - *Scene, A BDSM session*
- Fetichismo - *Fetish, fetishism*
- Masoquismo - *Masochism*
- Palabra de seguridad - *Safe word*
- Sadismo - *Sadism*
- Sadomasoquismo - *S&M, sadism and masochism, sadomasochism*
- Sumisión - *Submission*

v

- Adorar - *To worship*
- Arrodillarse - *To kneel*
- Atar - *To tie up*
- Azotar - *To spank*
- Castigar - *To punish*
- Dar latigazos - *To lash, to whip*
- Dar órdenes - *To give orders*
- Disciplinar - *To discipline*
- Disfrazarse - *To dress up*
- Dominar - *To dominate*
- Hacer cosquillas - *To tickle*
- Hacer un nudo - *To tie a knot*
- Jugar - *To play*
- Lamer - *To lick*
- Negarse - *To deny*
- Obedecer - *To obey*
- Portarse bien - *To behave*
- Portarse mal - *To misbehave*
- Privarse - *To deprive*
- Provocar - *To provoke*
- Recompensar - *To reward*
- Suplicar - *To beg*

ROLES
ROLES

n

· Amo/a - *master/mistress*
· Dómina - *Dominatrix, domme, mistress*
· Dominante (hombre) - *Dom, dominant, master*
· Esclav@ - *Slave*
· Masoquista - *Masochist*
· Persona que hace ambos papeles - *Switch*
· Sádic@ - *Sadist*
· Sumis@ - *Sub, submissive*
· Vainilla o persona que no practica el BDSM - *Vanilla*

CAJA DE JUGUETES BDSM
BDSM TOY BOX

- Anillo de pene - *Cock ring*
- Antifaz - *Blindfold*
- Arnés - *Strap-on*
- Cadenas - *Chains*
- Candado - *Padlock*
- Cinta bondage - *Bondage tape*
- Collar y correa - *Collar and leash*
- Consolador - *Dildo*
- Cuerda - *Rope*
- Esposas - *Handcuffs*
- Fusta - *Crop*

- Látigo - *Whip*
- Látigo de nueve colas - *Cat O'Nine Tails*
- Máscara - *Mask*
- Mordaza - *Ball Gag*
- Pala/palmeta - *Paddle*
- Pinzas para los pezones - *Nipple clamps*
- Pluma - *Feather*
- Vela - *Candle*

MOBILIARIO DE LA MAZMORRA
DUNGEON FURNITURE
n

- Banco de azotes - *Spanking bench*
- Columpio - *Swing*
- Cruz - *Cross*

- Cruz de san Andrés - *Saint Andrew's Cross*
- Jaula - *Cage*
- Trono de adoración - *Worship throne*

JUEGOS BDSM
BDSM PLAYTIME
n

- Azotes - *Spanking*
- Bondage - *Bondage, restraint*
- Bondage japonés - *Shibari*
- Castigo - *Punishment*
- Castigo con la vara - *Caning*
- Cuando una mujer penetra el ano de un hombre con un consolador - *Pegging*
- Deberes - *Duties*
- Dominación financiera - *Financial domination*
- Flagelación - *Flagellation*
- Juegos con cera caliente - *Wax play*

- Juegos de rol - *RPG, Role Play Games*
- Lluvia dorada - *Golden shower, water sports*
- Privación - *Deprivation*
- Privación sensorial - *Sensory deprivation*
- Suspensión - *Suspension*
- Travestismo - *Cross dressing*

- Hacer de caballito - *Pony play*
- Hacer de cachorrito - *Puppy play*
- Lamer botas - *Bootlicking*

> · SSC
> Todo juego **BDSM** debe ser también **SSC**, es decir, **seguro, sano y consensuado.**
> - *All BDSM games should be safe, sane and consensual.*

FETICHES
FETISHES

Un objeto, una parte del cuerpo no relacionada con el aparato reproductor, o una acción cuya presencia o existencia provoca excitación sexual. Un objeto puede ser el látex o unos tacones; una parte del cuerpo pueden ser las piernas o los pies, y hacer cosquillas o fumar son ejemplos de algunas acciones.

El fetichismo también puede estar relacionado con el mundo del BDSM a través de una fotografía o ciertos clubes de fetichismo.

 OBJETOS
OBJECTS

- Antifaz - *Blindfolds*
- Cuero - *Leather*
- Gafas - *Glasses*
- Globos - *Balloons*
- Guantes - *Gloves*

- Látex - *Latex*
- Medias - *Stockings*
- PVC - *PVC*
- Tacones - *Heels*

n PARTES DEL CUERPO ASOCIADAS AL FETICHISMO
BODY PARTS ASSOCIATED WITH FETISHISM

- Axilas - *Armpits*
- Cuello - *Neck*
- Labios - *Lips*
- Muslos - *Thighs*
- Pelo largo - *Long hair*

- Pie/pies - *Foot/feet*
- Piernas - *Legs*
- Uñas - *Nails*
- Vello púbico - *Pubic hair*

V ACCIONES
ACTIONS

- Cuando la mujer se coloca encima de la cara de la pareja para recibir sexo oral - *Facesitting*
- Fumar - *Smoking*
- Hacer cosquillas - *Tickling*

- Hacer la limpieza - *Cleaning*
- Jugar con comida dulce - *Sploshing*
- Lamer botas - *Bootlicking*
- Pisotear - *Trampling*

ROPA FETICHE
FETISHWEAR

- Abrillantador - *Shiner*
- Aperturas - *Openings*
- Arnés - *Harness*
- Botas - *Boots*
- Bragas con apertura - *Crotchless panties*
- Capucha - *Hood*
- Collar - *Collar*
- Corpiño - *Basque, bustier*
- Corsé - *Corset*
- Cremalleras - *Zips*
- Cuero - *Leather*

- Goma - *Rubber*
- Guantes - *Gloves*
- Látex - *Latex*
- Leggings - *Leggings*
- Ligueros - *Suspenders*
- Máscara - *Mask*
- Medias - *Stockings*
- Medias con costura - *Retro Seamed stockings*
- Mitones - *Gauntlets*
- Mono - *Catsuit*
- PVC - *PVC*

VERBOS MODALES
MODAL VERBS

Habilidad, permiso y prohibición - *Ability, permission and prohibition*

TYPE/USE	MODAL VERBS	EXAMPLE
1. Ability	*Can*	*Maria can walk in extra-high heels.*
2. Asking for permission	*May, can, could*	*Could I lick your boots?*
3. Giving permission	*May, can*	*You can use my whip.*
4. Refusing permission, prohibition	*Can't, may not*	*You may not talk in my dungeon.*
5. Prohibition	*Mustn't*	*You mustn't disobey me.*

Peticiones, obligación, no obligación y recomendación - *Requests, obligation, no obligation and recommendation*

TYPE/USE	MODAL VERBS	EXAMPLE
6. Requests	*Can, could*	*Can you pass me the shiner?*
7. Obligation	*Have to, must*	Alice *has to wear a basque tonight.* You *must wear latex to the Rubber Ball.* She *had to wear latex to the Rubber Ball.* ¡IMPORTANTE! *Must* es más fuerte que *have to.* *Must* solo se usa con el present simple.
8. No obligation	*Don't have to*	*She doesn't have to serve him tonight.*
9. Recommendation	*Should, ought to*	*You shouldn't misbehave so often.* *You ought to start your duties now.* ¡IMPORTANTE! *Ought* to no se utiliza en negativo.

EJERCICIO 1

¡PRACTICA CON TU COMPAÑER@!

Formula las siguientes preguntas a tu compañer@.
Las respuestas tienen que ser amplias.

1) Do you have any fetishes?

2) Have you ever tried bondage?

3) Do you prefer dominant or submissive roles?

4) Have you ever been to a fetish party?

5) Would you like to explore any new fetishes/BDSM activities?

Ahora respóndelas tú.

EJERCICIO 2

Resuelve el crucigrama

HORIZONTAL

1) Person who likes to change roles.

3) Something worn on the hands.

4) When a hand makes contact with the buttocks.

5) Long, stiff and made of wax.

6) You can wear this to cover your eyes.

9) A woman in charge.

10) You'll need this if you wear latex.

11) The best catsuits have these to enable easy access.

13) This is what happens when you are bad.

14) A demonstration of devotion.

17) A formal document to prove your devotion.

VERTICAL

1) You must decide on this before any BDSM scene.

2) Handing control over to your Master/Mistress.

5) A dog and a slave can wear this.

7) Conventional sex is described as...

8) Metallic restraining device for the wrists.

12) When a man receives a strap-on in the anus.

15) The desire to be punished.

16) Formal clothing for a feline.

18) The act of tying up for pleasure.

EJERCICIO 3

Completa las oraciones con el verbo modal correcto. Escoge uno de los siguientes:

Can · can't · could · may · may not · mustn't

EJEMPLO

Could you lend me your handcuffs until next week?

¡IMPORTANTE! Puede haber más de una respuesta valida.

1) *You _____ untie yourself now if you wish.*

2) *Yes, you _____ call me 'Mistress'. It really turns me on.*

3) *_____ you walk in high heels?*

4) *Listen carefully. You _____ speak when I am speaking.*

5) *You _____ smoke in my dungeon.*

6) *_____ I massage your feet?*

7) *Do you know if Hugo _____ tie Shibari knots?*

8) *_____ I kneel here and beg?*

9) *Slave X, _____ have a little reward if he is good.*

10) *I'm sorry but you _____ use the worship throne until I have finished with it.*

EJERCICIO 4

Subraya el verbo modal correcto:

EJEMPLO

Slave contracts are difficult to follow. They (should/can) make the typeface bigger.

1) *If you want your latex catsuit to shine you (shouldn't/can) use cheap lubricant.*

2) *It's okay. You (don't have to/must) kiss my high-heel boots if you don't want to.*

3) *Stupid slave! You (should/mustn't) disobey me.*

4) *You haven't received any instructions from your domme for over 25 minutes. Perhaps you (mustn't/should) go online and beg for her attention.*

5) *You (may/have to) wear a corset and mask or they won't let you into the fetish ball tonight.*

6) *You (could/shouldn't) practise BDSM with total strangers, it's extremely dangerous.*

7) *You (could/don't have to) beg me. I heard you the first time but I was ignoring you.*

8) *You (can't/shouldn't) take BDSM so seriously. It's just a bit of fun.*

9) *Cheap whips are no good at all. If you want one that lasts, you (ought to/can) go to a good sex shop.*

10) *You (should/mustn't) agree on a safe word with your sub before you start tying them up.*

El lado oscuro - *The dark side*
PERVERTINÓMETRO

El inglés es el idioma por antonomasia de la pornografía. Conocer la jerga de la industria del porno te ayudará a encontrar exactamente aquello que buscas en la red en vez de tener que interpretarlo con las imágenes que te ofrece internet.

English is the most popular language found in pornography. Understanding the industry's jargon will help you find exactly what you want online, without having to look at screen-shots and guess the content.

GÉNEROS DEL PORNO
PORN GENRES

n

- A cuatro patas - *Doggy (doggystyle)*
- Actores asiáticos - *Asian sex*
- Actores con piercings y tatuajes - *Goth/Alternative*
- Actores de razas distintas - *Interracial*
- Actores latinos - *Latin*
- Actores mayores - *Mature sex*
- Actores negros - *Black*
- Actores peludos - *Hairy*
- Actores que fuman - *Smoking*
- Actores que se quitan la ropa - *Stripper*
- Amateur - *Amateur*
- Arnés - *Strap-On*
- Azotes - *Spanking*
- BDSM - *BDSM*
- Bukake - *Bukkake*
- Cosas raras - *Oddities*
- De los años 70 u 80 - *Classic*
- Debajo de la falda - *Upskirt*
- Del culo a la boca - *Ass to mouth (ATM)*
- Dibujos animados - *Animé/Hentai*
- Doble penetración - *Double penetration (DP)*
- Dos chicas - *Girl on girl*
- Extranjero - *Foreign*
- Eyaculación - *Cumshot (external or internal)*
- Eyaculación femenina - *Squirting*
- Eyaculación dentro - *Internal cumshot, creampie*
- Eyaculación en la cara - *Facial cumshot*
- Famosos - *Celebrity sex tapes*
- Fetichismo - *Fetish*
- Gay - *Gay*
- Gonzo - *Gonzo*
- Heterosexual - *Straight*
- Lo mejor de ambos mundos - *Bisexual*
- Madres que están buenas - *MILF (Moms I'd like to Fuck)*
- Mamadas - *Blow jobs*
- Masturbación - *Masturbation*

- Misionero - *Mish* (abreviatura de *missionary)*, *man on top, face to face*
- Muchos hombres y una sola mujer - *Gangbang*
- Mujeres encima - *Cowgirl, reverse cowgirl*
- Mujeres gordas - *Big Beautiful Women (BBW)*
- Novedades - *New releases*
- Orgía - *Orgy*
- Parodia - *Parody*
- Pecho visto de lado - *Sideboob*
- Pecho visto desde abajo - *Underboob*

- Pechos grandes - *Big tits*
- Pies - *Feet*
- Porno para mujeres - *Porn for women*
- Porno para parejas - *Porn for couples*
- Punto De Vista - *POV (Point of View)*
- Solo Mujeres - *Veggie scene, all girl*

- Anal - *Anal*
- Educativo - *Educational*
- No muy fuerte - *Softcore*
- Transexual - *Transexual*

EN UN RODAJE PORNO
ON A PORN SET

- Actor porno - *Porn actor/star*
- Actriz porno - *Porn actress/starlet*
- Cámara - *Camera*
- Director - *Director*
- Escena - *Scene*
- Guión - *Script*
- Persona que mantiene la erección de los actores entre escenas - *Fluffer*

PORNO OFFLINE
OFFLINE PORN

- Cabinas - *Peep-show, booth*
- Revista pornográfica - *Dirty magazine, dirty book, jazz mag, porn mag, porn magazine, smut*, stroke literature, top-shelf magazine*

MÁS PORNO
PORN EXTRAS

n

· Amigo que guarda tu alijo de porno - *Porn buddy*
· Alijo de porno - *Porn stash*

EJEMPLO

· *Ben is my* **porn buddy**, *he always hides my* **porn stash** *for me.*

v

· Adelantar - *To fast-forward*
· Bajar - *To download*
· Devolver - *To return*
· Disfrutar - *To enjoy*
· Esconder - *To hide*
· Grabar - *To record*
· Grabar (tu propia peli) - *To shoot (your own movie)*
· Hacerse una paja con porno - *To wank off to porn, to wank over porn*
· Pedir prestado - *To borrow*
· Poner pausa - *To pause*
· Prestar - *To lend*
· Rebobinar - *To rewind*
· Saltar - *To skip*
· Ser pillado - *To get caught*
· Subir - *To upload*
· Ver, mirar - *To watch*
· Ver online - *To stream*

a

- Aburrido - *Boring*
- Asqueroso - *Disgusting*
- Caliente - *Hot*
- Clasificación X - *X-rated*
- Degradante - *Degrading*
- Divertido - *Funny*
- Educativo - *Educational*
- Entretenido - *Entertaining*
- Erótico - *Erotic*
- Escandaloso - *Scandalous*
- Estimulante - *Empowering*

- Excitante - *Arousing, horny*
- Explícito - *Explicit*
- Explotador - *Exploitative*
- Fuerte - *Hardcore*
- Inmoral - *Immoral*
- Interesante - *Interesting*
- Peligroso - *Dangerous*
- Provocador - *Provocative*
- Sexy - *Sexy*
- Sucio - *Dirty*
- Vergonzoso - *Disgraceful*

EL FUTURO
THE FUTURE

WILL + VERB

WILL + VERB
WILL + VERB

Utilizamos *will* para las decisiones e intenciones que hacemos simultáneamente al tiempo de la narración.

EJEMPLOS

· *I can't find any good animé clips on this website. I'll try another one.*
· *Hurry up and decide! - Ok. I'll choose the Asian babes film.*

Utilizamos *will* para hacer peticiones.

EJEMPLOS

· **Will** *you buy me some top quality Japanese porn next time you go to Tokyo?*
· **Will** *you give me a blow job while I watch this film?*

Utilizamos *will* para hacer ofrecimientos.

EJEMPLOS

· *I'm horny. I'll suck you off like a porn star if you want.*
· *I need to sell my vintage porn magazines.*
· *I'll help you.*

Utilizamos *will* para hacer promesas.

EJEMPLOS

· *I promise I'll give you the DVD back tomorrow.*
· *I promise I'll do everything that the porn actresses do.*

GOING TO + VERB

GOING TO + VERB

Utilizamos *going to* para las decisiones e intenciones que se han hecho con anterioridad al tiempo de la narración.

Los planes del fin de semana/ futuras vacaciones, etc. suelen hacerse antes del tiempo de la narración.

EJEMPLOS

EJEMPLOS

· *Tonight I'm **going to** watch that squirting video you downloaded. I can't wait.*
· *I'm **going to** skip this scene. I've seen it before and it's really boring.*

· *What are you doing this weekend?*
· *I'm **going to** shoot a home porn movie with my girlfriend.*
· *I'm **going to** take a long vacation in Mexico after we finish filming this porn movie.*

PREDICCIONES

Will y *going to* también se utilizan para hacer predicciones. En general, hay poca diferencia entre ellas.

EJEMPLOS

· *I think my favourite porn starlet **will** retire soon.*
· *I think my favourite porn starlet is **going to** retire soon.*
· *I think Polish porn **will** be huge next year.*
· *I think Polish porn is **going to** be huge next year.*

Pero cuando una predicción se basa en una evidencia que podemos ver, sentir u oír, utilizamos *going to*.

EJEMPLOS

· *My cock is really hard, I think I'm **going to** come soon.*
· *Oh no! I forgot to hide my porn stash. I think my girlfriend's **going to** find it.*

EJERCICIO 1

¡PRACTICA CON TU COMPAÑER@!

Formula las siguientes preguntas a tu compañer@.
Las respuestas tienen que ser detalladas.

1) How often do you watch porn?

2) Do you prefer amateur or professional porn?

3) What is your favourite porn genre?

4) Do you prefer to watch porn with your partner or alone?

5) Would you like to record your own porn movie?

Ahora respóndelas tú.

EJERCICIO 2

TEST DEL PORNO

¿Verdad o mentira? Compara y contrasta tus respuestas con las de tu compañer@
y razónalas.

1) Porn is immoral. True/False

2) Porn is a good way to learn about sex. True/False

3) I would never date a porn star. True/False

4) Most female orgasms in porn films are fake. True/False

5) Porn is just used for masturbation. Nothing else. True/False

6) It's difficult to find good porn online. True/False

7) Many people who criticise pornography are actually consumers themselves. True/False

8) I watch too much porn. True/False

9) Porn empowers women. True/False

10) My taste in porn is getting more and more extreme. True/False

EJERCICIO 3

Termina las frases:

1) *Why are you looking so nervous?*

2) *Do you want to download or stream this movie?*

3) *I want to have some more squirting videos for my collection.*

4) *I can't understand the menu on this imported Hentai DVD.*

5) *Did you phone Carlos about his porn casting?*

6) *Would you like to come to my house to check out my porn stash?*

7) *I have no idea how to make a woman come.*

8) *What are your plans for this weekend?*

9) *I think you still have some of my favourite porn DVDs.*

10) *It's getting really humid in this porn cinema.*

a) *I think I'll download it in case it's so horny that I want to wank over it again later...*

b) *Good idea. I'll bring some from my own collection.*

c) *Don't worry, this educational porn film will help you.*

d) *I'm going to interview a famous porn actress for a magazine article.*

e) *I'm going to download some couple's friendly porn and watch it with my girlfriend.*

f) *I will ask the management to turn the ventilation system up.*

g) *Don't worry. I'll help you translate it.*

h) *I know. I'll return them soon, I promise.*

i) *I'm sorry. I completely forgot. I'll do it now.*

j) *I'll go online to find you the best ones.*

EJERCICIO 4

Completa las oraciones con el verbo en su forma correcta:

EJEMPLO

I've got the best bukkake collection imaginable, __I'll lend__ (to lend) it to you.

1) *What are you going to do later? - I _____ (to wank) over some porn and then go to sleep.*

2) *I promise I _____ (to return) your bukkake DVD tomorrrow.*

3) *I _____ (to buy) a new hard-drive because my current one is full of porn videos.*

4) *I can't wait for tonight. Me and my girlfriend _____ (to upload) our new amateur porn clip on a new couple's porn website.*

5) *Just a moment please. Let me finish my coffee and then I _____ (to help) you hide your porn stash.*

6) *I don't know where to find the best MILF videos online. - Really? I _____ (to show) you my list of favourites. There are some really good ones.*

7) *I've just noticed that I'm feeling really horny. I think I _____ (to wank) over some porn.*

8) *Lie down with your legs open and I _____ (to lick) your pussy just like they did in that girl on girl DVD last night.*

9) *Oh no, I've just deleted my entire porn collection by mistake. - Don't worry. I _____ (to download) my favourite scenes from my collection onto a USB for you. You definitely need something new to wank over.*

10) *Which scene do you want to shoot next? - I think we _____ (to shoot) the cumshot. Let's ask the actor if he is ready for it.*

El porno - *Porn*
PERVERTINÓMETRO

En este capítulo encontrarás todo lo que necesitas saber para adentrarte en el mundo de las perversiones online: de los chats a las páginas de contactos y el cibersexo.

An understanding of porn categories and terms is directly transferable to the ever expanding world of online perversions. Everything you need to know for webchat, contact pages and cybersex.

PÁGINAS DE CONTACTOS
CONTACT PAGES/DATING SITES

🄝

- Hombre busca hombre - *Male Seeking Male (MSM)*
- Hombre busca mujer - *Male Seeking Female (MSF)*
- Hombre busca mujer u hombre - *Male Seeking Female or Male (MSFM)*
- Me gustaría conocer... - *Would like to meet (WLTM)*
- Mujer busca hombre - *Female Seeking Male (FSM)*
- Mujer busca hombre o mujer - *Female Seeking Male or Female (FSMF)*
- Mujer busca mujer - *Female Seeking Female (FSF)*

TIPOS DE RELACIÓN
RELATIONSHIP STATUS

🄝

- Casado - *Married*
- El que tiene una aventura - *Having an affair*
- En una relación - *In a relationship*
- En una relación abierta - *In an open relationship*
- Infiel - *Unfaithful*
- Intercambio de parejas - *Swinger*
- Prometido - *Engaged*
- Soltero - *Single*

¿QUÉ BUSCAS?
WHAT ARE YOU LOOKING FOR?

n

- Acción instantánea - *Instant action*
- Amig@ con derecho a roce - *Friend with benefits*
- Amistad - *Friendship*
- Amor - *Love*
- Cibersexo - *Cybersex*
- Matrimonio - *Marriage*

- Sexo sin ataduras - *Casual sex, no strings*
- Una aventura - *An affair*
- Una cita - *A dating*
- Una relación - *A relationship*
- Webchat - *Webchat*

v

- Agregar un contacto - *To add a contact*
- Borrar un contacto - *To delete a contact*
- Buscar - *To search (for)*
- Chatear - *To chat*
- Conectar - *To connect*
- Conocer (a alguien) - *To meet (someone)*
- Conocerse en persona para sexo - *Hook-up*
- Darse de alta - *To subscribe*

- Darse de baja - *To cancel your subscription*
- Encontrar - *To find*
- Enviar - *To send*
- Hablar en privado - *To go private*
- Iniciar sesión - *To start session*
- Ligar - *To pull*
- Navegar en internet - *To browse*
- Registrar - *To sign up/to register*

SIGLAS PARA CHATEAR
CHAT ACRONYMS

- A tomar por culo - *fts (Fuck That Shit)*
- Abrazo y beso - *h&k (Hug and Kiss)*
- Adiós, hijo de puta - *amf (Adiós, Mother Fucker)*

- Adiós por ahora - *bfn (Bye For Now)*
- Ah, vale - *oic (Oh, I See)*
- Ahora mismo - *atm (At The Moment)*
- Ahora no - *natm (Not At The Moment)*

- Antes - *b4 (Before)*
- Bajando - *dl, d/l (Download, Downloading)*
- Beso - *mwa*
- Besos y abrazos - *xoxo (Hugs and Kisses; las «x» son besos y las «o» son abrazos)*
- Bienvenido de nuevo - *wb (Welcome Back)*
- Cállate - *stfu (Shut The Fuck Up)*

- Cara a cara - *f2f (Face To Face)*
- Chica mona - *qt (Cutie)*
- Cuanto antes - *asap (As Soon As Possible)*
- ¡Cuánto tiempo! - *ltns (Long Time No See)*
- De nada - *yw (You're Welcome)*
- Dios mío - *omg! (Oh, My Gosh!, Oh, My God!)*

- Edad, sexo, ubicación - *asl?, a/s/l what's your (Age, Sex, and Location?)*
- Email - *emsg (Email Message)*
- En la vida real - *irl (In Real Life)*
- En mi humilde opinión - *imho (In My Humble Opinion)*
- En mi opinión - *imo (In My Opinion)*
- En serio - *srsly (Seriously)*
- Es broma - *jk, j/k (Just Kidding)*
- Espera - *h/o (Hold On)*
- ¿Estás? - *yt? (You There?)*
- Gente - *ppl (People)*
- Gracias - *thx (Thanks), ty (Thank You)*
- Hablamos luego - *ttyl (Talk To You Later)*

- Hablando por teléfono - *otp (On The Phone)*
- Hasta luego - *cu (See You), cya (See Ya), ttfn (Ta Ta For Now)*
- Hasta pronto - *sys (See You Soon)*
- Imposible - *nfl (Not Fucking Likely!)*
- Ir en privado - *wtgp? (Want To Go Private?)*
- La misma mierda - *sos (Same Old Shit)*
- Lejos del teclado - *afk (Away From Keyboard)*
- Lo que sea - *w.e, w/e (Whatever)*
- Lo siento - *sry (Sorry)*
- Luego (adiós) - *l8r (Later, goodbye)*
- Mala suerte - *sol (Shit Out of Luck)*
- Me alegro de verte - *gtsy (Glad To See You)*
- Me parto - *lmao (Laughing My Ass Off)*
- Me parto el puto culo - *lmfao (Laughing My Fucking Ass Off)*
- Me preguntaba... - *jw (Just Wondering)*
- Me tengo que ir - *gg, g/g (Gotta Go), gtg, g2g (Got To Go)*
- Mensaje instantáneo - *im (Instant Message)*
- Mensaje privado - *pm (Private Message)*
- Mis padres están escuchando - *pal (Parents Are Listening)*
- Muy bien - *vn (Very Nice)*
- No importa - *nm, n/m, nvm (Never Mind)*
- No lo sé - *idk (I Don't Know)*

- No te preocupes - *d/w (Don't Worry)*
- Novia - *gf (Girlfriend)*
- Novia, mujer - *ol (Old Lady)*
- Novio - *bf (Boyfriend)*
- Novio, marido - *om (Old Man)*
- Otro día de la misma mierda - *ssdd (Same Shit, Different Day)*
- Para que lo sepas - *jtlyk (Just To Let You Know)*
- Para tu información - *fyi (For Your Information)*
- Pareja - *so (Significant Other)*
- Por cierto - *btw (By The Way)*
- Porfa - *pls, plz (Please)*
- Porque - *bc, b/c (Because)*
- ¡Qué coño...! - *wtf? (What The Fuck?)*
- ¿Qué es esta mierda? - *wts? (What's That Shit?, What The Shit?)*
- ¿Qué haces? - *wru doin'? ('What Are You Doing?')*
- ¿Qué hay? - *sup? (What's up?, Wassup?)*
- ¿Qué tal? - *hru (How Are You?)*
- ¡Qué va! - *nfw! (No Fucking Way!)*
- Risa - *lol (Laughing Out Loud)*
- Ser un grano en el culo - *pita (Pain In The Ass)*
- Sin comentarios - *nc, n/c (No Comment)*
- Sin problema - *np (No Problem)*
- Subiendo - *ul, u/l (Upload, Uploading)*
- Suerte - *gl (Good Luck)*
- Te arrepentirás - *ybs (You'll Be Sorry)*

- Te quiero mucho - *lyl (Love Ya Lots!)*
- Tengo que irme corriendo - *gr (Gotta Run)*
- Tómate tu tiempo - *tyt (Take Your Time)*
- Tú - *u (You)*
- Tuyo - *ur (Your)*
- Vale - *k, kk (Okay, alright)*

- Vale gracias - *kthx (Okay Thanks)*
- Vale gracias, adiós - *kthxbi (Okay Thanks, Bye)*
- Vida real - *rl (Real Life)*
- Volveré más tarde - *bbl (Be Back Later)*
- Vuelve - *hb (Hurry Back)*
- Vuelvo enseguida - *brb (Be Right Back)*

HACER SEXTING
SEXTING

Enviar mensajes con contenido sexual por el móvil - *To send messages that contain sexual content via mobile telephone.*

- *I wish Dave would stop **sexting** me. I already have hundreds of pictures of his cock.*

CONDICIONAL 1
FIRST CONDITIONAL

Posibilidades reales en el futuro - *Real possibilities in the future*

IF	CONDITION	RESULT
IF	PRESENT SIMPLE	WILL + VERB
If	*my girlfriend breaks up with me,*	*I will go online to find someone else.*

Utilizamos el Condicional 1 para ofrecimientos, sugerencias, avisos y amenazas.

EJEMPLOS

· *If you sign up for two months, you **will get** one month for free!*
· *If the video quality on this porn website doesn't improve, I **will cancel** my subscription.*

EJERCICIO 1

¡PRACTICA CON TU COMPAÑER@!

Formula las siguientes preguntas a tu compañer@.
Las respuestas tienen que ser amplias.

1) Have you ever used any online contact pages?

2) Do you prefer to meet people online or in a bar?

3) Do you enjoy sexting?

4) Have you ever had cybersex?

5) Are you subscribed to any websites with Adult content?

Ahora respóndelas tú.

EJERCICIO 2

Reescribe el siguiente diálogo en su forma completa.

EJEMPLO

—*Slave X: thx 4 ur emsg hru?*
Thanks for your email message, how are you?

—**Goddess69:** *ssdd. Tell me more about urself. Asl?*

_____

—**Slave X:** *28, yes pls, London, u?*

_____

—**Goddess69:** *lmao! 25, also yes pls. Edinburgh*

_____

—*Slave X: sol! Srsly?*

—*Goddess69: sry it's a bit far for f2f I no*

—*Slave X: nm, can we still do cybersex thing?...ur such a qt...u make me hard*

—*(5 minutes later...) Slave X: u there?*

—*Goddess69: sry otp brb*

—*Slave X: l8r?*

—*Goddess69: k ttyl xoxo*

EJERCICIO 3

Une las siguientes frases:

1) *I'm warning you. If you are not careful,*

2) *Listen to me! If you don't pay,*

3) *If you have cybersex with your ex-girlfriend again,*

4) *You will get into trouble and you may lose your job,*

5) *I'm being serious. You will have serious problems with your partner,*

6) *If I don't see you online tonight,*

7) *My girlfriend is such a flirt. I won't be surprised*

8) *You will see my nude pictures*

9) *I promise I will help you find someone online tomorrow,*

10) *If I can't find a decent shag tonight at the nightclub*

a) *I will see you next week for another cybersex session.*

b) *if you don't pull tonight.*

c) *if she is chatting to her ex-boyfriend again on skype with her tits out.*

d) *if you don't control your sexting addiction.*

e) *if you continue to browse porn sites at work.*

f) *you will spend all your hard-earned cash on live webchat shows.*

g) *if you click on the link below. I hope you like them.*

h) *I will break up with you. This is your last warning.*

i) *I will register on a dating site tomorrow for some no-strings attached sex.*

j) *I will end this webchat session right now!*

EJERCICIO 4

Condicional 1. Completa las oraciones utilizando el verbo que aparece entre paréntesis. ¡Algunas necesitan un verbo **negativo**!

EJEMPLO

If you chat (to chat) to your ex-girlfriend again on messenger, I will be (to be) very angry.

1) *If you _____ (to be) online tomorrow, I _____ (to chat) to you.*

2) *You _____ (to save) lots of money, if you _____ (to register) today.*

3) *If I _____ (not/to be) happy with the service, I _____ (to sign up) to a different dating website.*

4) *If the name of the website _____ (to appear) on my credit card statement, I _____ (not/to register). It's too risky.*

5) *Don't worry. If I _____ (to meet) someone online, I _____ (to tell) you...*

6) *If you _____ (to send) me a sexy picture, I _____ (to send) you one back, I promise.*

7) *If you _____ (to subscribe) to my Member's Area, you _____ (not/to regret) it.*

8) *If you _____ (to cancel) your subscription to that fetish site, you _____ (to save) lots of money.*

9) If Slave X _____ (*to be*) online tonight, I _____ (*to be*) really happy. I've really missed him.

10) If you _____ (*to masturbate*) online now, then you _____ (*to sleep*) better tonight.

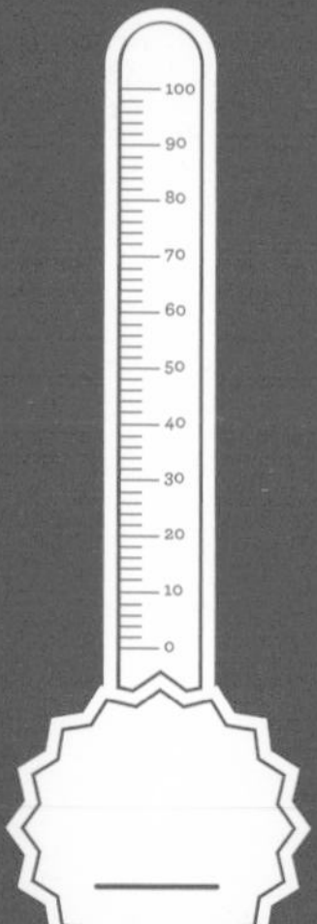

Perversiones online
Online perversions
PERVERTINÓMETRO

Cuando hayamos terminado la charla y pasemos a la acción, deberemos tener en cuenta una última cosa, porque ser un pervertido está bien, pero es mucho mejor ser un «pervertido saludable». Una última lección para ir sobre seguro.

When the talking has stopped and the action is about to start, there is one last subject to pay attention to. It's okay to be a pervert, but it's better to be a healthy one. This part of your education will keep you and your partners safe.

FLUIDOS Y FUNCIONES CORPORALES
BODILY FLUIDS AND FUNCTIONS

n

· Esmegma - *Smegma, penis cheese**
· Esperma - *Sperm*
· Flujo vaginal - *Vaginal discharge*
· Heces - *Faeces, crap*, number 2, poo*, shit*, stool, turd**
· Líquido preseminal - *Pre-ejaculate, pre-cum**
· Orina - *Urine, piss*, pee, wee, number 1*
· Semen - *Semen*

v

· Defecar - *To defecate, to take a dump*, to have/take a shit**
· Eyacular - *To ejaculate*
· Hacer pipí, orinar - *To urinate, to pee, to have/take a piss*, to have a wee*
· Tener la regla - *To have the period, to be on the rag*, to have the painters in*, to be on*
· Tener un sueño húmedo - *To have a wet dream*
· Tirarse un pedo - *To fart*, to trump**

ANTICONCEPTIVOS
CONTRACEPTION

· Diafragma - *Diaphragm/Cap*
· Dispositivo intrauterino (DIU) - *IUD (Intrauterine Device), the coil*
· Esterilización - *Sterilisation*
· Gel espermicida - *Spermicide gel*

· Inyecciones hormonales - *Contraceptive injections*
· La píldora - *The contraceptive pill, the pill*
· Marcha atrás - *Withdrawal*

V

- Preservativo - *Condom*
- Preservativo femenino - *The female condom*
- Preservativo masculino - *The male condom*
- Vasectomía - *Vasectomy, the 'snip'*

- Hacerse una ligadura de trompas - *To have your tubes tied*
- Ponerse el DIU - *To have a coil/IUD fitted*
- Tomar la pastilla - *To be on the pill*

SALUD SEXUAL BÁSICA
SEXUAL HEALTH ESSENTIALS

n

- Centro de planificación familiar
  - *Family planning clinic/centre*
- Circuncisión - *Circumcision*
- Compresas - *Sanitary towels*
- Ejercicios de Kegel - *Kegel exercises,*
  Pelvic floor exercises
- Estrógeno - *Oestrogen*
- Eyaculación precoz - *Premature*
  ejaculation
- Fimosis - *Phimosis*
- Hormonas - *Hormones*

- Impotencia - *Impotence*
- Obstetra, ginecólogo - *GYN doctor,*
  gynaecologist, gyno*
- Ovulación - *Ovulation*
- Revisión ginecológica - *Gynaecological*
  exam, pap smear/test
- Síndrome del shock tóxico (SST)
  - *Toxic Shock Syndrome (TSS)*
- Tampones - *Tampons*
- Testosterona - *Testosterone*

· Pillar algo - *To catch something*
· Ponerse, llevar - *To put on, to wear*
· Prevenir - *To prevent*
· Protegerse - *To protect yourself*
· Tomar medicación - *To take medication*

· Perder la erección - *to go soft*

· *Every time we change position, he goes soft.*

V

· Contraer - *To contract*
· Curar - *To cure*
· Deshacerse de - *To get rid of*
· Empezar un tratamiento - *To get treatment*
· Hacerse pruebas - *To have an STI Test, to get tested*
· Introducir - *To insert*
· Obtener un resultado negativo - *To get the all clear*

CUANDO FALLA EL ANTICONCEPTIVO
WHEN CONTRACEPTION FAILS

n

- Aborto - *Abortion, miscarriage*
- Píldora del día después - *The morning after pill*
- Preservativo roto - *Split condom*
- Prueba de embarazo - *Pregnancy test*

v

- Dar a luz - *To give birth*
- Estar embarazada - *To be pregnant*
- Tener un retraso - *To miss a period*

INFECCIONES DE TRANSMISIÓN SEXUAL (ITS)
SEXUALLY TRANSMITTED INFECTIONS (STIS)

n

- Centro de salud sexual - *STI centre*
- Cistitis - *Cystitis*
- Clamidia - *Chlamydia*
- Enfermedad inflamatoria pélvica - *PID (Pelvic Inflammatory Disease)*
- Gonorrea - *Gonorrhea*
- Hepatitis B - *Hepatitis B*
- Hepatitis C - *Hepatitis C*
- Herpes genital - *Genital herpes*
- Hongos - *Yeast infection (thrush)*
- Ladillas - *Pubic lice, crabs**

- Sida - *AIDS (Acquired Immunodeficiency Syndrome)*
- Sífilis - *Syphilis*
- Tricomoniasis - *Trichomoniasis*
- Vaginosis bacteriana - *Bacterial vaginosis*
- Virus de la Inmunodeficiencia Adquirida - *HIV (Human Immunodeficiency Virus)*
- Virus del Papiloma Humano (VPH) - *Human Papilloma Virus (Genital Warts)*

SÍNTOMAS
SYMPTOMS

v

- Sentirse incómod@ - *To have discomfort*
- Tener flujo - *To have discharge*
- Tener picor - *To be itchy*

- Tener una erupción - *To have a rash*
- Tener dolor - *To be painful, To be sore, To hurt*

- Olor - *Smell/odour*

CONDICIONAL 2
SECOND CONDITIONAL

Situaciones hipotéticas - *Hypothetical situations*

IF	CONDITION	RESULT
IF	PAST SIMPLE	WOULD + VERB
If	*I had symptoms*	*I would get treatment*

EJEMPLOS

· *If I **had** an STI, **I'd tell** my partner.*
· *If everyone **had** access to free contraception, there **would be** fewer unwanted pregnancies.*

Después de *I/He/She/It* solemos utilizar la forma *WERE* y no *WAS*, aunque las dos son correctas.

EJEMPLOS

· *If she **were** happy with her current method of contraception, she wouldn't be looking for another one.*
· *If there **were** no such thing as STIs, the world would be a much better place.*

If I were you suele utilizarse para dar consejos.

EJEMPLOS

· *If I **were you**, I'd go to a doctor.*
· *If I **were you**, I'd try a different brand of condoms next time.*

El Condicional 2 también se utiliza para hablar de situaciones improbables.

EJEMPLOS

· *If I **got** pregnant, I'd **keep** the baby.*
· *If I **were** the President, I'd **make** contraception compulsory.*

EJERCICIO 1

¡PRACTICA CON TU COMPAÑER@!

Formula las siguientes preguntas a tu compañer@.
Las respuestas tienen que ser amplias.

1) When was the last time you had an STI test?

2) Do you always use condoms when you have sex?

3) Have you ever felt discomfort during sex?

4) What is your preferred method of contraception?

5) Do you prefer to visit a male or female doctor about sexual health issues?

Ahora respóndelas tú.

EJERCICIO 2

Completa las frases:

1) If the clinic didn't have a female gynaecologist,

2) If you urinated after sex,

3) I would buy female condoms,

4) I wouldn't have sex with him again

5) If my period was late again,

6) Your sex life would definitely improve,

7) If you got tested for chlamydia now,

8) I would be so relieved,

9) I would be paranoid about catching an STI,

10) Foul smelling smegma would accumulate under my foreskin,

a) if you did pelvic floor exercises.

b) then you wouldn't have to worry about infertility when you are older.

c) then I would find another one. I'm just not comfortable talking about my vagina with male doctors.

d) if they improved the design. They are so difficult to use.

e) then you would prevent cystitis.

f) if the test were negative.

g) if I didn't use condoms every time I had sex.

h) if I didn't peel it back and wash properly. But you know I'm always clean.

i) if he refused to use a condom.

j) my boyfriend would be worried. But it's OK, because I got it last night, thank God!

EJERCICIO 3

Completa las oraciones con la forma verbal correcta:

EJEMPLO

If Steve <u>were/was</u> *(to be) already a father, he* <u>would have</u> *(to have) a vasectomy.*

1) *Don't worry. If I* _____ *(to have) any symptoms, I* _____ *(to tell) you.*

2) *If you* _____ *(to have) an STI Test, you* _____ *(to know) for sure.*

3) *If we* _____ *(to be) lovers, I* _____ *(to make you come) every time.*

4) *If I* _____ *(to have) the right medication, I* _____ *(to get rid of) the rash on my genitals.*

5) *If her period* _____ *(not/to be) always so late, she* _____ *(not/to worry) so much.*

6) *If you* _____ *(to have) condoms, I* _____ *(to have sex) with you right now.*

7) *If I* _____ *(to be) the President, contraception* _____ *(to be) free for everyone.*

8) *If he* _____ *(to have) a tight foreskin, he* _____ *(to get) a circumcision.*

9) *She* _____ *(to be) happier if she* _____ *(to protect) herself from STIs.*

EJERCICIO 4

SOPA DE LETRAS. ¡Casi hemos acabado! ¡Puesto que has trabajado mucho, aquí tienes un ejercicio relajado para terminar! Busca las siguientes palabras en la sopa de letras:

- *Condom*
- *Sterilisation*
- *Gonorrhea*
- *Thrush*
- *Urine*

- *Period*
- *Impotence*
- *Treatment*
- *Smegma*
- *Itch*

P	C	D	S	J	V	I	E	K	U	R	I	N	E	F
S	T	E	R	I	L	I	S	A	T	I	O	N	W	J
Q	A	N	G	N	F	W	Z	G	V	T	S	B	C	A
P	U	V	S	U	T	T	X	P	E	R	I	O	D	A
A	P	K	F	B	H	J	R	L	S	D	W	D	Y	H
P	Q	X	Q	C	E	D	S	E	O	V	H	I	G	U
X	P	P	T	I	B	P	G	Q	A	D	I	K	H	N
Q	C	I	Y	A	M	R	O	U	B	T	B	D	B	F
S	E	F	B	P	N	P	N	X	D	Y	M	T	C	L
P	S	E	V	X	T	V	O	K	N	R	H	E	O	V
H	M	R	P	O	A	H	R	T	W	M	K	K	N	Q
D	E	B	W	I	F	K	R	Q	E	H	G	I	D	T
C	G	Z	P	B	U	F	H	U	Y	N	Y	K	O	W
X	M	R	E	M	C	H	E	Y	S	T	C	Q	M	F
F	A	T	N	I	Z	G	A	V	Z	H	U	E	X	T

Salud sexual - *Sexual health*
PERVERTINÓMETRO

LECCIÓN ❶
El cuerpo humano

EJERCICIO 2

1) *never*
2) *rarely*
3) *always*
4) *usually*
5) *sometimes*

6) *rarely or never*
7) *often*
8) *never*
9) *always*
10) *rarely*

EJERCICIO 3

1) *armpit*
2) *nipple*
3) *waist*
4) *knee*
5) *toes*

6) *elbow*
7) *pecs*
8) *belly button*
9) *thigh*
10) *ankle*

EJERCICIO 4

1) *pert*
2) *fat*
3) *fit*
4) *wobbly*
5) *curly*

6) *erect*
7) *muscular*
8) *bony*
9) *bobbed*
10) *stiff*

LECCIÓN ❷
En la cama

EJERCICIO 2

1) *stimulates*
2) *I'm coming*
3) *are getting*
4) *go down on*
5) *is sucking*
6) *fingers*

7) *wanks*
8) *caresses*
9) *gives head*
10) *is stimulating, is jerking off, watches*

EJERCICIO 3

1) *went*
2) *I've shagged*
3) *tried*
4) *I've come*
5) *has just gone*

6) *fucked*
7) *I've stimulated*
8) *I've swallowed*
9) *I swallowed*
10) *undressed*

Puntuación *Lección I:*

_____ /30

Puntuación *Lección II:*

_____ /20

LECCIÓN Ⅲ
LGTB

EJERCICIO 2

1) are made
2) was legalised
3) will be opened
4) is being organised
5) will be discussed
6) has been finished
7) will be finished
8) is being rehearsed
9) has been scheduled
10) was served

EJERCICIO 3

1) elected
2) rimmed
3) uses
4) wear
5) sells
6) wrote
7) chose
8) practise
9) make
10) will open

EJERCICIO 4

1) was used
2) is designed
3) has been stolen
4) will be legalised
5) are usually used
6) is performing
7) learned
8) was taught
9) is read
10) are visited

LECCIÓN Ⅳ
Compras sexis

EJERCICIO 2

1) j (ejemplo)
2) g
3) a
4) e
5) b
6) d
7) h
8) f
9) c
10) i

EJERCICIO 3

1) cheaper than
2) noisier than
3) tackier than
4) much tighter than
5) not as scandalous as
6) sexier than
7) not as revealing as
8) more provocative than
9) more flattering than
10) more realistic than

Puntuación Lección III:

_____ /30

Puntuación Lección IV:

_____ /19

LECCIÓN ⓥ
El lado oscuro

EJERCICIO 2

HORIZONTALES:

1) *Person who likes to change roles. (Switch)*
3) *Something worn on the hands. (Gloves)*
4) *When a hand makes contact with the buttocks. (Spanking)*
5) *Long, stiff and made of wax. (Candle)*
6) *You can wear this to cover your eyes. (Blindfold)*
9) *A woman in charge. (Dominatrix)*
10) *You'll need this if you wear latex. (Shiner)*
11) *The best catsuits have these to enable easy access. (Openings)*
13) *This is what happens when you are bad. (Punishment)*
14) *Demonstration of devotion. (Worship)*
17) *A formal document to prove your devotion. (Slavecontract)*

VERTICALES:

1) *You must decide on this before any BDSM scene. (Safeword)*
2) *Handing control over to your Master/Mistress. (Submission)*
5) *A dog and a slave can wear this. (Collar)*
7) *Conventional sex is described as... (Vanilla)*
8) *Metallic restraining device for the wrists. (Handcuffs)*
12) *When a man receives a strap-on in the anus. (Pegging)*
15) *The desire to be punished. (Masochism)*
16) *Formal clothing for a feline. (Catsuit)*
18) *The act of tying up for pleasure. (Bondage)*

EJERCICIO 3

1) can/may

2) can/may

3) can

4) can't/may not/mustn't

5) can't/may not/mustn't

6) can/could/may

7) can

8) can/could/may

9) may/can

10) can't/may not/mustn't

EJERCICIO 4

1) shouldn't

2) don't have to

3) mustn't

4) should

5) have to

6) shouldn't

7) don't have to

8) shouldn't

9) ought to

10) should

Puntuación Lección V:

_____ /40

LECCIÓN **VI**
El porno

EJERCICIO 3

1) d *(ejemplo)*   6) b
2) a   7) c
3) j   8) e
4) g   9) h
5) i   10) f

EJERCICIO 4

1) I'm going to wank
2) I'll return
3) I'm going to buy
4) are going to upload
5) I'll help
6) I'll show
7) I'll wank
8) I'll lick
9) I'll download
10) we'll shoot

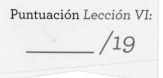

Puntuación Lección VI:

_____ /19

LECCIÓN Ⓥ︎Ⅱ
Perversiones online

EJERCICIO 2

1) *same shit, different day. Tell me more about yourself. Age, sex, location?*
2) *28, yes please, London, you?*
3) *Laughing my ass off! 25, also yes please. Edinburgh.*
4) *shit, out of luck! Seriously?*
5) *Sorry, it's a bit far for face to face I know.*
6) *never mind. Can we still do the cybersex thing? You're such a cutie. You make me hard.*
7) *You there?*
8) *Sorry, on the phone. Be right back.*
9) *Later?*
10) *Ok, talk to you later kiss hug kiss hug.*

EJERCICIO 3

1) *f (ejemplo)*   6) *a*
2) *j*   7) *c*
3) *h*   8) *g*
4) *e*   9) *b*
5) *d*   10) *i*

EJERCICIO 4

1) *are, will chat*
2) *will save, register*
3) *are not happy, will sign up*
4) *appears, will not register or won't register*
5) *meet, will tell*
6) *send, will send*
7) *subscribe, will not regret or won't regret it*
8) *cancel, will save*
9) *is, will be*
10) *masturbate, will sleep*

LECCIÓN ⑧
Salud sexual

EJERCICIO 2

1) *c (ejemplo)*
2) *e*
3) *d*
4) *i*
5) *j*
6) *a*
7) *b*
8) *f*
9) *g*
10) *h*

EJERCICIO 3

1) *had, would tell*
2) *had, would know*
3) *were, would make you come*
4) *had, would get rid of*
5) *wasn't/weren't, wouldn't worry or would not worry*
6) *had, would have sex*
7) *was/were, would be*
8) *had, would get*
9) *would be, protected*

Puntuación Lección VII:

_____ /29

158

EJERCICIO 4

P	C	D	S	J	V	I	E	K	U	R	I	N	E	F
S	T	E	R	I	L	I	S	A	T	I	O	N	W	J
Q	A	N	G	N	F	W	Z	G	V	T	S	B	C	A
P	U	V	S	U	T	T	X	P	E	R	I	O	D	A
A	P	K	F	B	H	J	R	L	S	D	W	D	Y	H
P	Q	X	Q	C	E	D	S	E	O	V	H	I	G	U
X	P	P	T	I	B	P	G	Q	A	D	I	K	H	N
Q	C	I	Y	A	M	R	O	U	B	T	B	D	B	F
S	E	F	B	P	N	P	N	X	D	Y	M	T	C	L
P	S	E	V	X	T	V	O	K	N	R	H	E	O	V
H	M	R	P	O	A	H	R	T	W	M	K	K	N	Q
D	E	B	W	I	F	K	R	Q	E	H	G	I	D	T
C	G	Z	P	B	U	F	H	U	Y	N	Y	K	O	W
X	M	R	E	M	C	H	E	Y	S	T	C	Q	M	F
F	A	T	N	I	Z	G	A	V	Z	H	U	E	X	T

Puntuación *Lección VIII:*

_____ /28

RESULTADOS
RESULTS

Veamos si has prestado atención… Suma tu puntuación.

DE 145 A 215 PUNTOS: PERVERTID@ TOTAL

¡Muy bien! No solo eres un/a pervertid@ total, sino que parece que, además, tu nivel de inglés es bastante bueno. Concédete una noche totalmente perversa. ¡Te lo mereces!

DE 76 A 144 PUNTOS: PERVERTID@ MEDIO

Dicen que no hay nada peor que ser mediocre, y es cierto. No obstante, podría ser peor. Debes repetir las lecciones hasta que te conviertas en un/a pervertid@ total.

DE 0 A 75 PUNTOS: TIENES QUE ESTUDIAR MÁS

Es evidente que no estabas prestando atención durante la clase y, por lo tanto, tienes que recibir un castigo por ello. No puedes practicar ninguna de las actividades que se describen en el libro durante al menos una semana. Luego, deberás repetir las clases.

En primer lugar, me gustaría agradecer a Random House Mondadori por creer en *Inglés para pervertidos*, sobre todo a Laura Álvarez por su dedicación y alegría, y al departamento de diseño por dar vida a mi manuscrito.

Estoy muy agradecida por la contribución de los fotógrafos. Cada uno de ellos ha aportado su propia perspectiva y su estilo único al proyecto:

Sebas Romero por provocar mi lado más loco y juguetón delante de la cámara. Cada vez que se reía o me decía «cabrona», tenía la certeza de que la cosa iba bien.

Lourdes Ribas por el alto nivel de su profesionalidad, atención al detalle y su inteligencia creativa, sobre todo cuando llevaba el arnés.

Yuki Lutz por su capacidad de trabajar siempre con ilusión y ganas. Su visión fotográfica está constantemente evolucionando y es un placer formar parte del proceso.

También me gustaría agradecer a Guy Moberly por la portada. Henar Rodríguez, Diana Shulga y a Mariam Tió Molina por el maquillaje y la peluquería en las sesiones de Lourdes Ribas. A Lovehoney por la lencería y a Pepe von Strudel por el atrezzo de la página 26.

Gracias a mi esclavo X por las ilustraciones y por su lealtad en cada momento. A veces no sé qué haría sin él. A mis cuatro hombres: Poopoo, Daddy, Teacher y Lars, por su amistad, que valoro mucho. Son como las cuatro patas de mi mesa, siempre apoyándome.

Gracias a Yuri Tapia por invitarme a aquel café cuando tuve la idea de escribir *Inglés para pervertidos*.

Y por último, y lo más importante, gracias a TI por comprar *Inglés para pervertidos*.